ADVANCED
PORTUGUESE
COURSE

TITLES IN THIS SERIES:

*Advanced **Dutch** Course*
*Advanced **French** Course*
*Advanced **German** Course*
*Advanced **Italian** Course*
*Advanced **Portuguese** Course*
*Advanced **Spanish** Course*

Picture Credits

Jacket: All special photography Steve Gorton; Paul Harris; Clive Streeter; Linda Whitwam; Peter Wilson except ARCHIVO NACIONAL DE FOTOGRAFIA – INSTITUTO PORTUGUES DE MUSEUS, LISBON: Jose Pessoa centre right.

Inside Pages: All special photography Linda Whitwam; Peter Wilson; Francesca Yorke except CORBIS: Horace Bristol p110; Wolfgang Kaehler p124; NIGEL TISDALL: p59; PETER WILSON: p120.

Hugo's

ADVANCED

PORTUGUESE COURSE

Maria Fernanda Allen

Hugo's Language Books

www.dk.com

A DORLING KINDERSLEY BOOK

www.dk.com

First published in Great Britain in 1999 by
Hugo's Language Books, an imprint of Dorling Kindersley Limited,
9 Henrietta Street, London WC2E 8PS

A CIP catalogue record is available from the British Library.

ISBN 0 85285 318 1

Advanced Portuguese Course is also available in
a pack with four cassettes, ISBN 0 85285 319 X

Written by

Maria Fernanda Allen
Lecturer in Portuguese at the University of Westminster
(Post-Graduate Department and other courses) and a
Fellow of the Institute of Linguists

Set in 10/12pt ITC Berkeley Old Style
Printed and bound by LegoPrint, Italy

Contents

PREFACE

You will probably have completed a self-study beginner's course such as Hugo's *Portuguese in Three Months*, and thus have a basic knowledge of Portuguese grammar plus a small core vocabulary of the most frequently used words. Maybe, now, you want to continue your studies in order to become more proficient, more fluent and more confident in both written and spoken Portuguese – or perhaps you simply wish to brush up your knowledge of the language prior to visiting a Portuguese-speaking country.

The *Advanced Portuguese Course* is written by Dr Maria Fernanda Allen, who also compiled Hugo's *Portuguese in Three Months*; although it is not necessary for you to have used the latter, we do include some references to it in this book in case you need to revise some elementary grammar.

Whatever your reasons for wanting to take your Portuguese further, you will find this more advanced course helpful in improving your ability to read and write the language. Furthermore, if you obtain the four audio cassettes which accompany the book, your listening skills will also be greatly enhanced. These cassettes allow you to hear the reading passages and dialogues found in the book, as well as giving you oral vocabulary tests and other exercises.

The ten chapters or lessons (**unidades**) are each divided into an initial text for reading and comprehension practice (called **Leitura & Compreensão**), a section explaining specific points of grammar (**Gramática & Prática**), and a closing conversation (**Diálogo**) – sometimes replaced by a further **Leitura**. Lists of words to learn or revise appear where necessary, word games are played, and there are numerous exercises testing your comprehension and ability to put into practice what has just been explained. Halfway through the course, and again at the end, are sub-chapters which give you more insight into Portuguese culture and history.

Advanced Portuguese, in addition to being a self-study course, is also ideally suited to class or group use, where the various topics can be built upon by the instructor. Dr Allen, a Fellow of the Institute of Linguists, is one of the best-known teachers of her native language in London, and heads the Portuguese department at Westminster University.

1 Primeira Unidade

In this first chapter we will look at: idiomatic expressions with **dar**, and emphatic expressions with **ser, ser que, se, cá, lá,** etc.; verbs with some irregularities (**cair, sair, ler, crer**); accents; prepositions **perante, diante,** etc. You'll also learn about Lisbon in the reading and comprehension section. The chapter ends with some dialogues.

Leitura & Compreensão

Lisboa
"Lisboa é Portugal ..."

Lisboa das sete colinas, situada nas margens do grande estuário do Tejo, é considerada uma das mais belas cidades da Europa, aliando modernidade à tradição. Os seus bairros antigos com o labirinto de vielas e calçadas, por vezes com escadinhas de pedra, os velhos chafarizes e monumentos, contrastam com avenidas largas e arborizadas, prédios modernos, torres de escritórios e centros comerciais como o gigantesco Centro Amoreiras e o Centro Colombo. Apesar da sua vida movimentada, como capital de um país e porto importante, ela dá-nos a sensação de tranquilidade.

À parte a sua história, em si já tão lendária, Lisboa está imersa em tradições e mitos. Um deles conta que foi Ulisses, o herói trágico da Odisseia, quem fundou a cidade dando-lhe o nome de Olisipo (*also:* Olissipo, Ulissipo). Mas as origens desta antiga cidade perdem-se nas brumas da história. Sabe-se que por cá passaram fenícios, cartagineses, gregos, romanos e mouros, entre outros.

Com a conquista de Lisboa aos Mouros em 1147, o reinado de Portugal estava assegurado. Desde então, o seu destino está intrinsecamente ligado à história de Portugal. Tem sido o palco de feitos gloriosos como os descobrimentos marítimos e de tragédias como o terramoto de 1755 que quase a arrasou. Foi nos séculos XV e XVI a cidade mais opulenta e centro de comércio e de cultura. Segundo um escritor nosso: *"Lisboa é Portugal, o resto é paisagem."*

São inúmeros os poemas e canções que os lisboetas, de alcunha 'alfacinhas', lhe têm dedicado. Lisboa figura sempre neles como 'Princesa' com o seu eterno amante, o rio Tejo, a seus pés. É fácil compreender e mesmo desculpar este romantismo quando, de um dos seus miradouros, admiramos a beleza em redor: a Serra do Monsanto, o castelo de São Jorge, o Aqueduto das Águas Livres, os palácios e mosteiros, a Torre de Belém; as fontes e palmeiras, o grande estuário, navios e cacilheiros; as lindas pontes, e, na margem oposta – 'a outra banda' – o Monumento a Cristo-Rei, de braços abertos, acolhendo o visitante.

Às portas do terceiro milénio e 500 anos depois de Vasco da Gama Lisboa vai ser, mais uma vez, o foco das atenções do mundo quando a última exposição do século se realizar em 1998. Os seus temas serão o Ambiente e os Oceanos. Entre todas as atracções desta exposição, destaca-se o maior oceanário da Europa.

Explicação cultural

- À geométrica Baixa – centro da cidade – dá-se-lhe também o nome de Baixa Pombalina por ter sido reconstruída por Marquês de Pombal, Primeiro Ministro, em meados do século XVIII.

- A Torre de Belém e o Mosteiro dos Jerónimos foram construídos no estilo arquitectónico português chamado manuelino, durante o reino de D. Manuel I, no início do século XVI.

- A linda ponte 25 de Abril, chamava-se Ponte Salazar antes de 1974. Estão a construir um tabuleiro por baixo por onde passará a linha férrea.

- A revolução pacífica de 25 de Abril de 1974 é também conhecida por 'Revolução dos Cravos' porque os soldados traziam cravos nos canos das espingardas.

- A Ponte Vasco da Gama, a mais longa da Europa com 18 km., ligando Montijo a Sacavém, foi inaugurada em Março de 1998.

- 'Cacilheiros' são os barcos que cruzam o Tejo entre Lisboa e a outra banda, Cacilhas.

- O recinto da Exposição Mundial de Lisboa, a qual terminou em Setembro de 1998, passa a ser designado por 'Parque das Nações' para homenagear a presença dos mais de 160 países que conviveram durante quatro meses e meio na EXPO 98.

Vocabulário

colina	hill
aliar	to combine
margem	river-bank
bairro	old quarter
viela	narrow alley
calçada	cobbled street, *usually steep*
escadinhas	*diminutive of* **escadas**, flight of stairs
chafariz	public fountain, *usually against the wall*
arborizadas	with trees
torres de escritório	office blocks
lendária	legendary
mito	myth
brumas	fog, mist
palco	stage
terramoto	earthquake
arrasar	to flatten, raze
opulenta	wealthy, rich
feitos	feats, deeds
lisboeta	of / from (native of) Lisbon
alcunha	nickname
alfacinhas	'lettuce eaters' (i.e. Lisboners)
o Tejo	the river Tagus
miradouro	belvedere
ambiente	environment
destacar-se	to stand out, to be singled out
dá-se-lhe	one gives to it
cravo	carnation

Praça do Império in Belém, Lisbon

11

The Manueline cloister of Mosteiro dos Jerónimos

Exercício 1
Compreensão do texto. Responda às seguintes perguntas:

1 Quais são os contrastes de Lisboa?
2 Qual é a sensação que nos dá esta cidade?
3 Descreva alguns dos sítios de interesse para o visitante.
4 Que alcunha têm os lisboetas?
5 Como se chama o centro da cidade?
6 Que outro nome tem e porquê?
7 O que está na outra banda?
8 Que significado tem o '25 de Abril'?
9 Porque se chama a 'Revolução dos Cravos'?
10 Qual é a principal atracção da Expo 98?

Gramática & Prática

1.1: Idiomatic expressions with *dar*

The verb **dar** has many idiomatic uses, depending on the preposition or noun that follows it. Here are some expressions to complement those given in *Portuguese in Three Months*.

O Zé agora deu em vagabundo.
Zé has become a tramp.

Esta carne não dá para oito pessoas.
This meat is not enough for eight people.

Ele não dá p'ra nada.
He is useless (... no good for anything).

O negócio deu em nada.
The business came to nothing.

O navio deu à costa.
The ship ran ashore.

Ele deu cabo do sofá.
He ruined the sofa.

A Maria anda sempre a dar à língua.
Mary is always wagging her tongue (... gossiping).

Ele deu um jeito e a porta abriu-se.
He made it possible for the door to open (found a way to open it).

A Carlota gosta muito de dar nas vistas.
Charlotte likes to be a show-off (... the centre of attention).

1.2: Emphatic use of *ser*

Ser ... é que, foi que, era que, é, foi

Eu é que quero ir.
I want to go. (= It is me who wants to go.)

É que, quando cheguei à loja vi que não tinha dinheiro.
The fact is, when I arrived at the shop I realized I didn't have any money.

O problema foi que eu não conhecia a mulher.
The problem was that I didn't know the woman.

Estou é perdendo (or: **Estou é a perder) o meu tempo consigo.**
I am really wasting my time with you.

Ele fez foi esse trabalho.
That was the work he did.

Nós não queríamos era comer a comida dela.
The fact is / was, we didn't want to eat her food.

A Joana é que me disse … – or **Foi a Joana que me disse …**
It was Joanna who told me.

1.3: Emphatic use of *cá, lá, aí*

Eu cá é que sei.
I am the one who knows. (= I should know.)

Conte lá o que se passou.
Tell (it to me / us) what happened.

Aí já começa a haver complicações.
Hold on! I begin to see complications.

Espere aí uns minutos, se faz favor.
Wait a few minutes, if you please.

Tu lá sabes o que deves fazer. – or **Tu é que sabes o que deves fazer.**
You're the one who should know what you must do.

1.4: Further meanings and use of *se, nem, que, qual não** and *pois*

These words, whether they be pronouns, conjunctions, adverbs or whatever in conventional grammar, can be used in many idiomatic ways – as the following examples show (*note that **qual não** does not have a negative function).

Gostas de vinho do Porto? – Se gosto!
Do you like Port wine? – I like it very much! or Do I like it?!

Nem pensar numa coisa dessas!
Don't even think a thing like that!

Que belo negócio que você arranjou!
What a good business you've got! (ironically)
Also: *What a pretty mess you've got into!*

Qual não foi a surpresa dela ...
To her surprise ...

Pois gives us **pois pois** *(Yes, yes, I agree)*, **pois sim!** and **pois não!**, **pois bem** *(Very well)* **pois é** *(So it is)*, **pois então ...?** and **pois quê?** *(How so? What? Really?)*. Some examples:

Queres ir ao cinema? – Pois sim!
Do you want to go to the cinema? – O.K.

Pois é.
So it is. / Of course. / I agree.

Empresta-me a sua caneta? – Pois não!
Will you lend me your pen? – Certainly. Why not.

Pois então foste ao México?
So, you went to Mexico?

1.5: Verbs with some irregularities

In this and the next three chapters we shall be practising those verbs which have a few anomalies in one verbal form or another, or simply a question of accents.

Cair:

Present indicative:	**eu caio; tu cais; você/ele/ela cai; nós caímos; (vós caís); vocês/eles/elas caem.**
Present subjunctive:	**eu caia; tu caias; você/ele/ela caia; nós caiamos; (vós caiais); vocês/eles/elas caiam.**

Otherwise regular, but for the acute accent –

- on all persons of the preterite (past, **caí** etc.), except in the 3rd person singular: **caiu** – *he fell, has fallen.*
- on all persons of the imperfect: **caía**, etc. – *was falling.*
- on all persons of the simple pluperfect: **caíra** – *had fallen.*
- on the 1st and 2nd persons plural of the conditional, as with other verbs: **cairíamos, cairíeis** – *would fall.*
- on all persons of the subjunctive imperfect: **caísse** – *might fall, (if) I fell.*
- and on the past participle: **caído** – *fallen.*

Sair is conjugated in the same way.

Ler:

Present indicative: **eu leio; tu lês; você/ele/ela lê; nós lemos; (vós ledes); vocês/eles/elas lêem.**

All other tenses are regular.

Crer is conjugated in the same way.

Accents:

In any verb, an acute accent is found in the 1st and 2nd persons plural of the imperfect (**sabíamos, sabíeis**) and the conditional (**daríamos, daríeis**). The same accent occurs in the 1st / 2nd persons plural of the imperfect subjunctive in verbs ending in -**ar** (**cantássemos, cantásseis**), -**ir** (**partíssemos, partísseis**), -**ôr** (**puséssemos, pusésseis**), and irregular -**er** (**tivéssemos, tivésseis**). But in regular -**er** verbs this acute accent changes to a circumflex (**vendêssemos, vendêsseis**).

N.B. You will have noticed acute accents over verbal forms which normally would not have them. This is because of diphthongs such as 'ai' in **caído**, 'ui' in **construído** and 'oi' in **moído**, which must be separated so that the two vowels are sounded individually (not as one, as diphthongs usually are). The acute accent indicates this need.

Exercício 2
Complete na forma verbal adequada:

1 Eles nunca [sair] à noite.
2 Eu [crer] que os juros [ir] aumentar.
3 Você já [ler, *pret.*] as notícias hoje?
4 Este termo [cair, *pret.*] em desuso.
5 Ultimamente, ele [sair, *perf.*] muito.
6 Eu nunca [ler, *pres.*] a correspondência dele.
7 Eles [cair, *pres.*] sempre no mesmo erro.
8 Eles [ler] os jornais todos as manhãs.
9 Ontem eu [sair] muito cedo.
10 Nós [crer, *imperf.*] nisso.

Exercício 3
Complete com outros verbos irregulares no presente do indicativo. (Consult Hugo's 'Portuguese Verbs Simplified'):

1 Ela [pôr] a mesa com uma grande elegância.
2 Eu [vir] aqui todos os estios.
3 Quando [ir] você lá?
4 A janela do quarto [dar] para a rua.
5 Eu [dar]-lhe todas as provas que quiser.
6 Eu não [saber] nada disso.
7 Eu [trazer]-lhe as cartas amanhã.
8 Eu [fazer] aquilo que posso.
9 Eu [dizer]-te isto para teu bem.
10 Eu não [poder] ir ao escritório hoje.
11 Que [dizer] você?
12 Você [pôr] muito açúcar no seu chá.
13 Eles nunca [poder] ajudar os outros.
14 Eles [pôr] o dinheiro no banco.
15 Eles já [vir].
16 Eles não [ver] o que é óbvio para todos.

1.6: Prepositions

perante	before (*in the sense of* facing the law, dilemmas, etc.)
diante	before (facing someone in front of)
antes de	before (coming first)
em frente de	in front of
defronte	in front of (*in the sense of* opposite)
à frente de	in front (ahead, at the head of)

Exercício 4
Complete com as preposições acima:

1 Parei _____ da porta verde.
2 O jardim _____ estava cheio de gente.
3 Somos todos iguais _____ Deus.
4 Falámos com ela _____ do marido chegar.
5 Ele está _____ duma importante firma.
6 Tenho que me portar bem _____ dele.
7 Ele foi _____ para me mostrar o caminho.
8 _____ a verdade, tive que capitular.
9 O vizinho _____ já me avisou do horário da colheita do lixo.
10 O carro dela ia _____ do nosso.

DIÁLOGOS

a) Direcções

Uma senhora dirige-se a um transeunte ...

Senhora	Desculpe. Dizia-me, faz favor, qual é a melhor maneira de ir para a Rua de São Bento?
Transeunte	A senhora tem dois caminhos. Pode ir por baixo, para Santos, e depois sobe a calçada; ou vai por cima, de carro eléctrico, directamente para S.Bento. Tudo depende de que parte dessa rua deseja. Quando chegar lá, pergunte a alguém pelo número da casa ou loja que pretende.
Senhora	Muito obrigada.
Transeunte	Não tem de quê.

b) Dirigindo-se a um polícia

Homem	Senhor Guarda, faz favor! Qual é o autocarro ou carro eléctrico que devo tomar para ir ao Rossio?
Polícia	O senhor não tem de tomar nenhum transporte, pois o Rossio fica aqui a dois passos. Vá por esta rua até chegar a uma rotunda; continua sempre a direito e, na primeira à sua direita, vira e vê logo o Rossio.
Homem	Muitíssimo obrigado.
Polícia	Sempre às ordens.

c) Na bilheteira do metropolitano

Passageira	Pode-me dizer qual é o metro que devo tomar para a Cidade Universitária?
Bilheteira	Apanhe o que vai para o Campo Grande, na linha duas. Mas leia primeiro o letreiro que indica o destino do metro que se aproxima. Em todo o caso, pode apanhar qualquer deles e fazer correspondência na Rotunda. É melhor levar esta planta do metropolitano.

Passageira	Obrigada. Quanto custa um bilhete para lá?
Bilheteira	É o mesmo para qualquer lado de Lisboa. E se comprar um livro de dez bilhetes fica-lhe mais barato.
Passageira	Então levo esse. Obrigadinha! A senhora tem sido muito prestável.
Bilheteira	Ora essa! Estou aqui para ser útil.

VOCABULÁRIO

carro eléctrico (*Br.:* **bonde**)	tram
apanhar (*Br.:* **pegar**)	to catch
autocarro (*Br.:* **ônibus**)	bus
letreiro	sign, indicator
correspondência	connection
fica-lhe mais barato	it will be cheaper for you
prestável	helpful (of service)

N.B. Apart from **de nada**, which you should know already, there are other ways (shown above) of translating "Don't mention it" or "You're welcome". Note that **obrigadinha** is the diminuitive of **obrigada** and is often used for emphasis; it is equivalent to the English "many thanks", "a thousand thanks", or the colloquial term "Cheers!".

The Lisbon Metro system

2 SEGUNDA UNIDADE

In this chapter you'll discover some of the history of the Portuguese language and how it may differ according to that part of the world where it is spoken. Grammar topics include radical-changing verbs, their irregularities and past tenses; the use of prepositions and some adverbs of place; '**emigrês**' – the wrong use of Portuguese. Dialogues complete the unit.

LEITURA & COMPREENSÃO

A língua portuguesa   *"de lés a lés"*

> *"A minha pátria é a língua portuguesa"*
> – **Fernando Pessoa (século XX)**

> *"Floresça, fale, cante, ouça-se e viva a portuguesa língua"*
> – **António Ferreira (séc. XVI)**

A língua portuguesa deve as suas origens ao latim vulgar que por cá se difundiu, depois da romanização da Península Ibérica na terceira década a.C.

Mesmo depois da vinda de vários outros povos, a língua dos romanos permaneceu, embora enriquecida de elementos germânicos e principalmente árabes. Começa a evoluir-se e a distinguir-se dos outros idiomas da Península e por alturas do século XII já é considerada como língua de cultura. O rei de Castela, Afonso X "O Sábio", escreve as suas famosas Cantigas de Santa Maria (séc. XIII) em português. Na mesma centúria, D. Dinis, rei de Portugal e grande poeta da nossa literatura medieval, ordena que os tribunais usem o português em vez do latim até então empregado.

No século XVI fixa-se como língua moderna, definindo-se a sua sintaxe e morfologia. É imortalizada pelo poeta laureado, Luís de Camões, no seu incomparável épico "Os Lusíadas" publicado em 1572 e traduzido em todas as línguas conhecidas. Antes dele, nos fins da era medieval, já Fernão Lopes, o maior cronista do seu tempo, escrevera as suas incomparáveis crónicas em prosa portuguesa.

Nos séculos XV e XVI, os portugueses levaram a sua bela língua a terras longínquas, de lés a lés, tornando-se assim a "língua franca" do mundo de então. Ainda hoje se encontram vestígios dessa influência no léxico de muitos idiomas orientais, incluindo o japonês.

Hoje, o português ocupa o sexto lugar entre as línguas mais faladas do globo, terceiro entre as línguas europeias e segundo na África Negra. É falado por cerca de 250 milhões de habitantes, nomeadamente no Brasil, Portugal, Madeira, Açores; nos cinco países africanos (PALOP) – Angola, Moçambique, Cabo Verde, Guiné-Bissau, S. Tomé e Príncipe; por núcleos na Índia e no Ceilão (Sri Lanka), Macau e Timor. Além destes, é também o meio de expressão das grandes colónias de portugueses na África do Sul, E.U.A., Venezuela, Havai, etc. Na Europa, o português arcaico perdura entre os judeus de origem portuguesa e em algumas sinagogas o serviço religioso continua a ser lido em português, semana sim, semana não.

Por último, devemos ainda mencionar o crioulo português, que nasceu por necessidade para assim facilitar uma melhor comunicação entre o português puro e algumas línguas indígenas. Actualmente, temos o crioulo de Cabo Verde, Guiné, S. Tomé (ao lado do português oficial) assim como os crioulos em Malaca e em algumas ilhas da Indonésia.

Vocabulário

de lés a lés	from one end to the other; from one side to the other
por cá	over here (*refers to Portugal*)
difundiu	spread, diffused
a.C. (antes de Cristo)	B.C.
vinda	coming (*noun*)
povos	peoples, races

permaneceu	it remained, stayed on
enriquecida	enriched
evoluir-se	to evolve (itself)
por alturas do	around, about the time of
centúria	century
tribunais	courts of Justice *(plural of **tribunal**)*
laureado	laureate
Camões	Camoens *(Portugal's greatest poet)*
épico	epic
terras longínquas	distant / far-away lands
vestígios	traces, vestiges
léxico	lexicon
nomeadamente	namely
PALOP	Países Africanos de Língua Oficial Portuguesa *(Portuguese-speaking countries in Africa)*
perdura	it lives on
semana sim, semana não	every other week
crioulo	creole

Exercício 1
Compreensão do texto. Responda às seguintes perguntas:

1 Quais são as origins do idioma português? Elabore.
2 Que outras línguas contribuiram para a sua riqueza?
3 Indique dois grandes poetas medievais.
4 Que mais fez D. (Dom) Dinis em relação à língua portuguesa?
5 Quando se fixa como língua moderna? Quem foi o seu poeta imortal?
6 Que papel teve este idioma no mundo?
7 Ainda há vestígios desse desenvolvimento?
8 Em que paises é o português falado como língua oficial?
9 Qual a sua posição no mundo de hoje?
10 Como se refere Fernando Pessoa à língua portuguesa?

Emigrês

There is a tendency for the student to 'convert' English into Portuguese, particularly among the second generation (i.e. children) of immigrants. This results in what is now known as **emigrês**. The following selection of such words illustrates this – as an additional exercise, translate the sentences into English as you read them.

Emigrês	Português
Aplicar para um emprego	Pedir um emprego *or* Candidatar-se a um emprego
Ter um apontamento com o dentista	Ter hora marcada com o dentista
Atender uma reunião	Assistir a uma reunião
Preencher a forma	Preencher uma ficha *or* Preencher um formulário
Ela é ordinária	Ela é vulgar / banal
Ele é obsequioso	Ele é servil / subserviente
Eu pretendo que sou solteira	Eu finjo que sou solteira
Depois da greve, eles resumiram o trabalho	Depois da greve, recomeçaram o trabalho
Recebi o reporto da comissão	Recebi o relatório da comissão
Ele reporta para o jornal	Ele faz a reportagem para um jornal
Ele é / está retirado	Ele é / está reformado *or* Ele é / está aposentado
Eles são muito rudes	Eles são malcriados
Ele é um homem vulgar.	Ele é um homem ordinário
Os meus sujeitos são: francês, geografia …	As minhas disciplinas / matérias são: francês, geografia …
De que sujeito falamos?	De que assunto falamos?

Gramática & Prática

2.1: Radical-changing verbs

The present indicative tense, and consequently the present subjunctive and command forms of these verbs, have some irregularities.

Verbs ending in -ear:

estrear	to wear / have for the first time, to première
recear	to fear
passear	to go for a walk / drive
barbear(-se)	to shave (oneself)
pentear(-se)	to comb (oneself)
cear	to have supper
regatear	to haggle
basear(-se) em	to base on / upon
saborear	to savour
nomear	to nominate
rechear	to stuff *(culinary)*
semear	to sow
desnortear(-se)	to lose one's bearings / control; to be confused
bombardear	to shell, to bombard *(lit & fig.)*
... *etc.*	

Verbs ending in -iar:

odiar	to hate
ansiar	to yearn for, look forward to
remediar(-se)	to remedy, to put right, to help, to make do with
incendiar	to set fire to

... *other verbs ending in -iar are regular.*

Here are models of these **-ear/-iar** verbs, showing the present indicative for **passear** *(to go for a walk / drive / trip)* and **odiar** *(to hate):*

		passear	*odiar*
I	eu	passeio	odeio
you *(fam.)*	tu	passeias	odeias
you	você	passeia	odeia
you *(m. formal)*	o senhor	passeia	odeia
you *(f. formal)*	a senhora	passeia	odeia
he, she	ele, ela	passeia	odeia
we	nós	passeamos	odiamos
[you *(arch.)*	vós	passeais	odiais]
you *(m.pl. formal)*	os senhores	passeiam	odeiam
you *(f.pl. formal)*	as senhoras	passeiam	odeiam
you *(pl. fam. / form.)*	vocês	passeiam	odeiam
they	eles, elas	passeiam	odeiam

N.B. Remember that **odiar** is a very strong word in Portuguese. If you hate the weather, food, job, etc., you should use **detestar** or **não gostar** *(to dislike)*.

The preterite (or past tense) of the verbs shown above is regular. Nevertheless, here are models for both **passear** and **odiar**:

I etc. strolled / have strolled	*I etc. hated / have hated*
eu passeei	**eu odiei**
tu passeaste	**tu odiaste**
você/ele/ela passeou	**você/ele/ela odiou**
nós passeámos	**nós odiámos**
[vós passeastes]	**[vós odiastes]**
vocês/eles/elas passearam	**vocês/eles/elas odiaram**

Other tenses are regular. Please remember that the present subjunctive, which is also used as a command form (imperative), will follow the usual rule based on the first person singular of the present tense of the indicative, changing 'o' to 'a' for verbs ending in **-ar** and 'o' to 'e' for those which end in **-er** and **-ir**. For example:

que eu passeie
que eu coma

Exercício 2

Preencha os espaços com a forma verbal apropriada no presente do indicativo:

1 Eu ____ [passear] com o meu cão todos os dias.
2 Quando vamos para a praia, eu e o meu namorado ____ [passear] sempre ao sol posto.
3 Eu ____ [recear] apanhar (*Br.*: pegar) uma gripe.
4 Os meus amigos ____ [recear] que o avião chegue atrasado.
5 O meu marido ____ [barbear-se] dia sim, dia não.
6 Eu sempre ____ [pentear] a minha filha.
7 Você ____ [pentear-se] muito bem!
8 Hoje, eu ____ [estrear] os meus sapatos.
9 O filme ____ [estrear-se] no dia 29 deste mês.
10 Eu nunca ____ [cear].
11 Ele sempre que me vê, ____ [bombardear]-me com mil perguntas.
12 Eu nunca ____ [regatear] os preços.
13 Eles ____ [basear-se] nas estatísticas.
14 Eu ____ [ansiar] pela tua vinda.
15 Isto não ____ [remediar] nada.
16 Eu ____ [odiar] aquele homem.
17 Nós ____ [odiar-se].

Exercício 3

Emparelhe!

1 Eu   A receia que haja um incêndio.
2 Tu   B odiamos mexericos.
3 Você   C semeiam trigo?
4 O homem   D bombardearam toda a cidade.
5 Isto   E ontem ceaste muito tarde.
6 Nós   F passeais muito.
7 Eles   G nunca me penteio.
8 Os senhores   H anseiam a vinda de vossa filha.
9 Vós   I não remedeia a situação.
10 Vocês   J regateia sempre.

VOCABULÁRIO

mexericos	intrigues, malicious gossip
trigo	wheat
vinda	home-coming, coming

2.2: Prepositions and some adverbs of place

In Portuguese, these can be very tricky. With some practice, you will
master them … have fun!

acima	above, up, over
acima de	more than, beyond
por cima (de)	over, up
para cima	up, to the top of
para cima de	more than, on to
em cima de	on, on top of
lá / cá em cima	up there / here, upstairs
sobre	on, about, on top of
além (de)	yonder, beyond (*also*: besides)
(além-mar	overseas)
abaixo (de)	down
debaixo de	under, underneath
em baixo	below
lá / cá em baixo	down there / here, downstairs
para baixo	down(ward)
por baixo de	under, underneath
sob	under
aquém	this side of
aquém de	below, inferior to
(aquém-fronteiras	this side of the frontier)

Here are some examples to help you out:

Fomos rio acima.
We went up the river.

Ela está lá em cima.
She is upstairs.

O cavalo saltou por cima da sebe.
The horse jumped over the fence.

Ele vive acima dos seus meios.
He lives beyond (above) his means.

A mulher atirou com o casaco para cima da cama.
The woman threw her coat onto the bed.

Ainda por cima, não dormi toda a noite.
To top it all (To make things worse), I didn't sleep all night.

Ele pôs a pasta em cima da mesa.
He put his briefcase on the table.

Já falei com ele sobre esse assunto.
I have already spoken with him about that subject.

O negócio foi-se por água abaixo.
The business went down the drain.

Passeámos por baixo da ponte.
We strolled underneath the bridge.

O garoto caiu pelas escadas abaixo.
The kid fell downstairs.

Vês aquela rua lá em baixo?
Do you see that street down there?

Eu olhei para baixo.
I looked down.

O gato está debaixo da mesa.
The cat is under the table.

O exército francês estava sob o comando de Junot.
The French army was under Junot's command.

Exercício 4
Por favor traduza as seguintes frases:

1 The meeting is on / about ecology.
2 He jumped onto the horse.
3 The money is on top of that cupboard.
4 The geese flew over Lisbon.
5 The bathroom is upstairs.
6 He is above such petty ideas.
7 Down with the tyrant!
8 He had a puppy underneath his large coat.
9 From here, one can see the river down there.
10 He looked down.
11 He is under oath.
12 The train went under the bridge.
13 The land is so much greener this side of Minho.
14 All my plans went down the drain.
15 The results were beyond my expectations.

Vocabulário

gansos	geese
mesquinho/a	petty
tirano	tyrant
cachorro	puppy
verdejante	fresh and green, verdant
expectativas	expectations

DIÁLOGO

Um encontro nas lojas "... *Há males que vêm por bem!*"

A Rita esbarra com a Joana no Centro Comercial ...

Rita   Joana! Que surpresa! Que fazes por aqui?

Joana   Ora viva! Gaivotas em terra? Há quanto tempo eu não te via!

Rita   É verdade. Mas tu estás sempre jovem. Qual é o segredo?

Joana   Bem, o segredo é que eu nunca me lembro da minha idade.
        Além disso, faço natação, corro todas as manhãs, jogo ténis
        três vezes por semana, não fumo e evito bebidas alcoólicas.

Rita   *(pensando)* Que seca! *(em voz alta)* Meu Deus!
        Que sacrifícios! Creio que prefiro estar como sou e gozar a
        vida. Então, vieste cá passear? E como achas o nosso Chiado?

Joana   Bem, eu ainda tenho saudades do velho Chiado mas
        reconheço que os tempos mudam embora, neste caso, o
        arquitecto tenha respeitado o velho estilo. E, é claro, o velho
        armazém Grandela não tinha condições para combater um
        incêndio como, infelizmente, se verificou.

Rita   É verdade. Há males que vêm por bem! Mas, que fazes por
        estes sítios?

Joana   Ando à procura de tecido de renda para noiva e não consigo
        arranjar o que quero. Já corri a Baixa de lés a lés; rua abaixo
        e rua acima. Já estou farta!

Rita   Não me digas que vais casar-te outra vez!

Joana   Não sejas tonta! Não receies tal coisa. E se me casasse não ia
        de renda branca.

Rita   E porque não? Hoje em dia ninguém liga a uma coisa dessas.
        Quem quiser vai como quer. Mas quanto à renda branca, lá
        em baixo, na rua da Madalena, há uma loja que se
        especializa em rendas.

Joana   Sim? Então vou até lá.

Rita	Não queres ir ali à esplanada tomar um chazinho e comer uns pastéis de nata?
Joana	Deus me livre! Eu não como bolos. Ademais, tenho hora marcada com o dentista daqui a meia hora. Tenho que fugir …
Rita	Olha! Amanhã estreia-se a Crónica de D. João I. Vai ser uma peça muito boa …
Joana	Adeus! Eu telefono-te amanhã de manhã.

VOCABULÁRIO

esbarrar	to bump into, collide with (someone)
Ora viva!	Hello there! Hi!
gaivotas em terra	(*lit.* 'seagulls on land') *idiom. a* stranger in this part of the world
idade	age
evitar	to avoid
Que seca!	What a bore! What a drag!
gozar	to enjoy
Grandela	*Lisbon's most famous department store, destroyed in a devastating fire in the 1980s, along with most of Chiado.*
Chiado	*The old and elegant shopping area in downtown Lisbon (**a Baixa**) where the great writers and artists used to meet. A mixture of Montmartre & Bond St.*
armazém	department store (*also:* warehouse)
corri de lés a lés	I went from one end to the other, all over the place
há males que vêm por bem	*idiom.* a blessing in disguise
ando à procura	I am / I have been looking for
tecido de renda	lace material
já estou farta	I am fed-up
ninguém liga a uma coisa dessas	nobody pays any attention / heed to such things
quem quiser vai quer	it's up to the individual to go as he / she pleases
noutros tempos	in the old days (other times)

chazinho	*diminutive of* **chá**
pastéis de nata	*Portuguese custard tarts*
Deus me livre!	God forbid!
ademais	moreover

N.B. Please remember that **como** has the following meanings: 'I eat', 'how', 'as', 'like'.

The triumphal arch in Praça do Comércio leading into Rua Augusta and the Baixa

Exercício 5

Revisão. Preencha os espaços com as seguintes formas verbais (pres. ou pret.), preposições, advérbios e expressões usadas nesta lição:

remedeio; estreou; passeei; regateámos; bombardearam; receei; de lés a lés; lá em cima; sob; liga; sobre; acima; abaixo; ora; gaivotas; males; quiser.

1 Eu ____ tanto durante as férias que emagreci!
2 Ontem ela ____ o vestido azul.
3 Eu ____ que tivesses um acidente.
4 Eu cá me ____ com esta carne.
5 Nós ____ o preço do tapete durante uma hora.
6 Os soldados ____ parte da cidade.
7 ____ viva!
8 ____ aquele ar de inocente, ele é muito manhoso.
9 Percorri as ruas ____
10 A minha mãe está ____
11 Há três pontes ____ o rio.
12 Isso está ____ de qualquer consideração. (*above*)
13 O menino caiu pelas escadas ____
14 ____ em terra?
15 Há ____ que vêm por bem.
16 Não se ____ a uma coisa dessas. (*pay heed / attention*)
17 Quem ____ vai como quer.

3 TERCEIRA UNIDADE

In this chapter you'll learn a little about Madeira. We then deal with what are called 'false friends' – words which appear to be similar to ones in English, but which have quite different meanings. There's a further session with radical-changing verbs ending in -ir and -uir, then a closing dialogue.

LEITURA & COMPREENSÃO

A Madeira   *"Pérola do Oceano ..."*

Dotada de panoramas deslumbrantes e de um clima sem par, a Madeira é digna do nome que lhe dão de 'Pérola do Oceano'.

Este pequeno arquipélago do Atlântico, descoberto em 1418 e 1419 por Tristão Vaz Teixeira e João Gonçalves Zarco, é constituído pelas ilhas da Madeira, do Porto Santo e pelos ilhéus Desertas e Selvagens. O arquipélago é de origem vulcânica. Na ilha da Madeira predominam as terras altas sendo o Pico Ruivo com 1851 metros a maior altitude.

A Madeira, cuja capital é Funchal, é um jardim flutuante. A sua flora exótica, opulenta e variada, atrai botanistas de todas as partes do mundo. O engenho humano triunfou nesta ilha montanhosa pois das suas encostas fez quintas, cultivando vinhas em terraços; desbravou a terra na vertente sul, até 700 metros, para dar espaço à agricultura e abriu canais de irrigação, chamados 'levadas', os quais transportam a água para os campos e aldeias. Na ilha existem muitos cursos de água denominados ribeiras, por serem de curta extensão.

O nome da Ilha da Madeira deve-se às densas florestas que a cobriam quando os portugueses a descobriram. Para poderem cultivá-la eles queimaram todas as árvores e, reza a lenda, que a ilha ficou a arder durante sete anos, como uma fogueira no meio do mar. Pouca vegetação encontra-se nos seus cumes e, na sua vertente norte, só fetos arbóreos, urze, esteva, além do pinheiro bravo.

A ilha do Porto Santo, é mais pequena e menos húmida do que a ilha principal. O seu relevo tem altitude muito inferior ao da Madeira. Por outro lado, tem praias com areia fina e dourada. A poucos quilómetros da ilhas da Madeira, Porto Santo tem excelentes meios de transporte tanto aéreos como marítimos. Cristóvão Colombo viveu aqui, após o seu casamento com a filha do governador da ilha.

As Desertas e Selvagens são ilhéus rochosos e desertos com excepção da fauna, nomeadamente as aves aquáticas, que é protegida.

A Madeira acrescenta à variadíssima cozinha portuguesa os seus pratos regionais, como a 'espetada' – carne no espeto de louro – servida com milho frito e bolo de coco, o tradicional peixe-espada preto pescado naquelas zonas, a 2000 metros de profundidade, pratos de atum, bolo de mel, os morgadinhos e muitos outros.

Na Madeira encontram-se as plantações de cana de açúcar, introduzida em 1425, da vinha nos terraços das suas colinas, cereais, bananas e outros frutos. Além dos seus frutos e dos seus famosos vinhos, a Madeira exporta flores, bordados, rendas e artigos de verga.

O Governo português assegurou-lhe uma autonomia político-administrativa e para tal foi criada, em 1975, uma Junta Administrativa e de Desenvolvimento Regional. Depois de 1976 passou para a Assembleia Regional da Madeira tendo um ministro da República.

Vocabulário

dotada de	blessed with
deslumbrante	dazzling, amazing
ilhéus	islets
engenho humano	human ingenuity *or* invention, genius
pois	for, as, seeing that
encosta	hillside, slope
quintas	farms
desbravar a terra	to clear the wilderness for cultivation
vertente	slope
reza a lenda	the legend says, according to legend
fogueira	bonfire
cumes	hill tops, summits

fetos arbóreos	ferns
urze	heather
esteva	rock-rose
pinheiro bravo	Scots pine
relevo	relief, outline *(of hills, land)*
rochosos	rocky
espetada	skewered; *(meat)* a kind of kebab
espeto de louro	laurel spit
milho	maize
peixe-espada	scabbard fish
morgadinhos	*traditional cakes*
bordado	embroidery
renda	lace
artigos de verga	wickerware
assegurou-lhe	gave it (*here*: granted it)

Fishing boats hauled up on the beach at Caniçal

Exercício 1
Compreensão do texto. Responda às seguintes perguntas:

1 De quantas ilhas consiste o arquipélago da Madeira?
2 Qual é o nome que lhe dão? E o outro pelo qual ela é também conhecida?
3 Descreva as características da ilha da Madeira. Qual é o seu ponto mais alto?
4 Qual é a origem do nome da Madeira e o que diz a lenda?
5 Porque se diz que o engenho humano triunfou nesta ilha montanhosa?
6 Discuta os contrastes da ilha do Porto Santo.
7 Quem foi o personagem que viveu lá?
8 Os ilhéus são habitados?
9 Quais são os principais pratos regionais deste arquipélago?
10 Quais são as suas principais exportações?

Palavras de onça ou Falsos amigos

Exercício 2
The following words are deceptive. Choose the right meaning(s). Some words have two correct meanings:

1	actual, *adj.*	current, actual, real
2	bife, *n.*	steak, beef, (nickname for an) Englishman
3	bizarro, *adj.*	exquisite, bizarre, odd
4	bravo, *adj.*	brave, wild, furious
5	carta, *n.*	letter, card, carton
6	cigarra, *n.*	cigar, cigarette, cicada
7	desgosto, *n.*	grief, disgust, dislike
8	esperto, *adj.*	clever, expert, foxy
9	esquisito, *adj.*	odd, finicky, exquisite
10	frigideira, *n.*	refrigerator, frying-pan, cold storage
11	jornaleiro, *n.*	journalist, newspaper boy, worker (by the day)
12	obsequioso, *adj.*	helpful, obsequious, obstinate
13	pipa, *n.*	pip, wine barrel, pipe
14	prejuízo, *n.*	damage, prejudice, harm
15	reformado, *adj./p.p.*	retired, reformed, made

Gramática & Prática

3.1: Radical-changing verbs

Most of these verbs belong to the third conjugation (-ir). They have slight irregularities in the present tense.

Please remember that the present subjunctive is based on the first person singular of the indicative present tense and that both the formal imperative (**fale**) and the imperative in the negative (formal or informal, **não fale**; **não fales**), otherwise known as the command forms, use the present subjunctive. Hence, it is important not to forget these present indicative irregularities.

1. Verbs which end in -ir with 'e' in the penultimate syllable (such as **preferir**) change the 'e' to 'i' in the <u>first person</u> singular of the present tense and, consequently, in the subjunctive present. Otherwise they are regular. (Verbs **medir, pedir, despedir** and **impedir** are exceptions to this rule.) For example:

Preferir:

Present indicative: **eu pref̲iro; tu preferes; você/ele/ela prefere; nós preferimos; (vós preferis); vocês/eles/elas preferem.**

Present subjunctive: **eu pref̲ira; tu pref̲iras; você/ele/ela pref̲ira; nós pref̲iramos; (vós pref̲irais); vocês/eles/elas pref̲iram.**

Here are some of these verbs:

aderir	interferir
advertir	mentir
conseguir (consigo, consiga)	reflectir
conferir	repelir
consentir	seguir (sigo, siga)
despir	sentir
digerir	sugerir
divertir	vestir

2. Verbs ending in -ir but with 'o' in the penultimate syllable change 'o' to 'u' in the first person singular of the present tense. For example:

Dormir:

Present indicative: eu d**u**rmo; tu dormes; você/ele/ela dorme;
                        nós dormimos; (vós dormis);
                        vocês/eles/elas dormem.

These verbs are conjugated like **dormir**:

    cobrir   engolir
    descobrir   tossir
    encobrir

N.B. cobrir, descobrir, encobrir have irregular past participles:
coberto, descoberto, encoberto.

3.   The following verbs with '**u**' in the penultimate syllable change the '**u**' to an '**o**' in the second and third person singular and the third person plural of the present tense. For example:

Subir:

Present indicative: eu subo; tu s**o**bes; você/ele/ela s**o**be;
                        nós subimos; (vós subis);
                        vocês/eles/elas s**o**bem.

Other verbs conjugated like **subir**:

    acudir   sumir
    consumir   sacudir
    fugir (fujo, fuja)

4.   Verbs which end in **-uir** (those listed below) are conjugated like **diminuir**:

Diminuir:

Present indicative: eu diminuo; tu diminuis; você/ele/ela
                        diminui; nós diminuímos; (vós diminuís);
                        vocês/eles/elas diminuem.

    afluir   influir
    atribuir   instituir
    constituir   instruir
    contribuir   possuir
    incluir   restituir

BUT **construir, destruir** and **reconstruir** are formed as follows:
Present indicative: **eu construo; tu constróis, você/ele/ela
construói; nós construímos; (vós construís);
vocês/eles/elas constroem.**

N.B. All verbs ending in **-uir** have an acute accent in their past
participles (**diminuído, construído**, etc.), <u>throughout</u> the preterite
(**possuí**, etc.) imperfect (**atribuía**, etc.), simple pluperfect (**diminuíra**,
etc.), and imperfect subjunctive (**construísse**, etc.).

3.2: The imperative

The true imperative is used when addressing someone informally (**tu**).
This is like the third person singular of the present indicative, minus
the subject pronouns. For example: **fala; diz; come; vai; põe.** An exception is **sê**, from **ser.** The other person of the true imperative is the archaic
vós. You will find its verbal form in Hugo's *Portuguese Verbs Simplified.*

Exercício 3
Complete as frases com as formas verbais adequadas:

1 Eu [sentir-se] muito triste.
2 Eles [preferir] beber vinho branco.
3 Cada qual [seguir] o seu caminho.
4 Eu não [interferir] em coisas que não são da minha alçada.
5 Eu [dormir] no chão.
6 A criança [tossir] muito.
7 Os velhotes [subir] a escada a custo.
8 [Acudir, *imperative pl.*] a esta senhora!
9 Quando ele me vê ele [fugir].
10 O meu carro [consumir] muita gasolina.
11 [Sacudir, *imperative*] este pano de pó!
12 Nós [incluir] todos os factos.
13 Eu [atribuir] a falta de atenção do aluno aos seus
   problemas com a família.
14 Eles [construir] uma casa à beira-mar.
15 Nós [possuir] muitas vinhas.
16 Ele [destruir] toda a minha esperança.
17 Tu [influir] muito a criança.

Exercício 4
Emparelhe!

1	Eu	A	destruímos tudo.
2	A criança	B	sobem a colina.
3	Nós	C	incluem os preços.
4	Tu	D	me acode?
5	Os catálogos	E	diminuem com os anos.
6	Os rapazes	F	sinto-me muito feliz.
7	Quem	G	atribuís tudo ao destino.
8	Eu	H	durmo toda a noite.
9	Os velhotes	I	foges de mim.
10	Vós	J	tosse toda a noite.

Câmara Municipal, Funchal's city hall, on the Praça do Município

Diálogo

Dois empresários conversando numa esplanada
'... *Jogar na bolsa*'

Ana	Então, como vão esses negócios lá por Londres?
Adam	De vento em popa. E os seus?
Ana	Menos mal. Agora que a firma Pinto & Filhos abriu falência temos um concorrente a menos.
Adam	Não me diga! Então, o que se passou?
Ana	Bem! Há p'ra aí uns boatos mas eu não conheço bem a história. Uns dizem que foi o filho dele que jogou na bolsa e contribuíu para a ruína da firma. Outros dizem que foi um fulano estrangeiro que enganou o velho Antunes. ... Você que quer tomar?
Adam	Um aperitivo da Madeira com uma rodela de limão e uma pedra de gelo.
Ana	Vinho da Madeira a esta hora da manhã? Você é mesmo um lusófilo! Eu cá prefiro uma bica e um mata-bicho. Voltando ao assunto do Antunes, ele é que teve a culpa por ter-se deixado cair no conto do vigário, isto é se foi realmente o que aconteceu.
Adam	Se calhar, aconteceram-lhe as duas coisas.Coitado do homem! Que azar! Valha-nos Deus! Hoje em dia, não se pode confiar em ninguém.
Ana	É verdade. Ele já está com os pés na cova e o filho não dá p'ra nada. Só quer mulherio e jogo. É um jogador viciado. Mudando de assunto, quando é que você se estabelece aqui?
Adam	Quando eu ganhar a sorte grande.
Ana	Não me diga isso. Se está à espera da sorte grande nunca mais o teremos aqui.
Adam	Por enquanto estamos bem assim. Eu faço a promoção dos vinhos portugueses lá na Inglaterra, bem como a distribuição, e a minha cara amiga exporta-os daqui.
Ana	A propósito, você sabe quem fez um negócio da China?
Adam	Não, não sei. Conte lá!

Ana   Foi o Manuel Namorado. Comprou um quadro muito simples num leilão por tuta-e-meia e depois descobriu que sob essa pintura havia outra. Calcule você que era um trabalho inacabado, mas autêntico*, da ilustre pintora Vieira da Silva! Claro que o Manuel pô-lo logo à venda e agora está riquíssimo.

Adam   Que sorte que estes tipos têm! Esse fulano chorou na barriga da mãe.

* *this is fictitious*

VOCABULÁRIO

jogar na bolsa	to speculate in the market, to job in stocks
de vento em popa	from strength to strength (*lit.* with the wind on the stern)
abrir falência	to go bust; to go bankrupt
um concorrente a menos	one competitor less
p'ra (para) aí	(going) around
boatos	gossip; rumours; they say that …
fulano	chap, fellow, Joe Bloggs, John Doe
lusófilo	lusophile; lover of Portugal
eu cá	I; as for me
mata-bicho	*a tot of* **aguardente**, *usually at breakfast* (*lit.* kill the bug)
aguardente	'burning water', *the traditional brandy*
cair no conto do vigário	to be cheated; to be a victim of a confidence-trickster
se calhar	probably, it's very possible that
coitado do homem	poor chap / fellow
que azar	what bad luck
com os pés na cova	*idiom.* with one foot in the grave
não dá p'ra nada	he is no good, he is good for nothing
mulherio	women in general, many women
jogo	gambling
viciado	addicted
sorte grande	national lottery
negócio da China	*idiom.* lucrative business
conte lá	you tell me, tell me about it
leilão	auction
tuta-e-meia	*idiom.* for a song
tipo	bloke
chorou na barriga da mãe	born with a silver spoon in his mouth

4 Quarta Unidade

The comprehension piece is about the present low birth rate in Portugal, while the 'Gramática e Prática' section deals with yet more radical-changing verbs, as well as indefinite pronouns and adjectives, and comparisons. A dialogue closes the chapter.

Leitura & Compreensão

Fazer filhos   *"... portugueses da gema"*

Portugal, que antes tinha uma das mais altas taxas de natalidade, tem agora a quarta mais baixa da União Europeia, segundo dizem.

As mulheres portuguesas têm cada vez menos filhos. Se esta situação se prolongar a população portuguesa da gema tenderá a desaparecer. Mas porquê? Com a situação socio-económica em Portugal tão boa, tão propícia para ter filhos, era de esperar que os jovens desatassem a procriar alegremente.

- A Assembleia da República, nos últimos dez anos, tem legislado para facilitar a vida das mães trabalhadoras.

- As creches crescem como cogumelos.

- Os abonos à família garantem uma vida sem luxos, mas digna de qualquer ser humano em crescimento.

- Há facilidades para os casais jovens, aumentadas sempre que lhes nasce um filho. Casas baratas, com quartos para as crianças.

- Abatimentos substanciais na carga fiscal.

- A eventualidade de ter um filho deficiente não assusta ninguém, porque Portugal sabe tomar conta dos seus deficientes, tal como sabe proteger as suas crianças orfãs ou em risco.

- O trabalho infantil é inexistente e não se conhecem casos de meninos deitados à rua.

- A sociedade portuguesa adora crianças e não conhece ainda o medo que assalta as mães de outros países, onde a taxa de criminalidade é elevada.

- Em Portugal pode contar-se ainda com a ajuda das avós, tias ou outros membros da família, para olharem pelas crianças quando os pais estão ausentes.

- O Estado prevê escolas, formação profissional, empregos futuros.

Que razão têm então os jovens para não quererem ser pais? Será por egoísmo? Será o seu amor ao materialismo e à ganância que os impede de darem filhos à Nação?

Esperemos que esta seja só uma fase passageira.

[Do 'Expresso' com supressões e adaptação da autora]

VOCABULÁRIO

portugueses da gema	Portuguese through-and-through, genuine
natalidade	birth rate
tenderá	will tend to
era de esperar	one would expect
desatassem a procriar	to start / break out / burst out in jolly procreation
cogumelos	mushrooms
abonos à família	family allowance
digna	worthy
crescimento	growth, growing
sempre que	whenever
abatimentos fiscais	tax rebates
assustar	to frighten
tomar conta de	take care of
tal como	just as
orfãs ou em risco	orphaned or in danger

inexistente	non-existent, it does not exist
meninos deitados	children left in the streets /
à rua	thrown into the streets
assaltar	to assail
olhar por	to look after
prever	to foresee
formação	training
egoísmo	selfishness
ganância	greed for gain
impedir de	stop from
esperemos	let us hope

Exercício 1

Compreensão do texto. Responda às seguintes perguntas:

1 Em que lugar se coloca a taxa de natalidade portuguesa?
2 Se esta situação continuar o que poderá acontecer?
3 Que significa a expressão 'da gema'?
4 Nomeie vários artigos da legislação portuguesa que facilitam a vida das mães trabalhadoras e encorajam os jovens a terem filhos.
5 Qual é a atitude do governo quanto a orfãos e deficientes?
6 Existem meninos na rua sem protecção?
7 Fale da taxa de criminalidade em relação a outros países.
8 Qual é a posição da família portuguesa quanto às suas crianças?
9 Que mais faz o Estado para assegurar o futuro dos jovens?
10 Que razões sugere o autor para a baixa taxa de natalidade em Portugal?

N.B. *If you are able to discuss this subject in Portuguese, with a friend or perhaps in class, then do so. It is important to improve your mental agility in <u>thinking</u> in the language, and this should be a useful exercise.*

Gramática & Prática

4.1: Radical-changing verbs

Continuing with the revision of verbs which have some irregularities in the present tense, we list below another group with a very irregular first person singular – where it is not just a matter of changing 'e' to 'i' or 'o' to 'u'. (This time, we omit the personal pronouns.)

ouvir   ouço *or* oiço, ouves, ouve, ouvimos, ouvis, ouvem.
Subj.: ouça, ouças, etc.

medir   meço, medes, mede, medimos, medis, medem.
Subj.: meça, meças, etc.

pedir   peço, pedes, pede, pedimos, pedis, pedem.
Subj.: peça, peças, etc.

valer   valho, vales, vale, valemos, valeis, valem.
Subj.: valha, valhas, etc.

perder   perco, perdes, perde, perdemos, perdeis, perdem.
Subj.: perca, percas, etc.

requerer   requeiro, requeres, requer, requeremos, requereis, requerem.
Subj.: requeira, requeiras, etc.

Exercício 2

Complete com as respectivas formas verbais no presente do indicativo e do conjuntivo ou imperativo. **N.B.** *Os compostos destes verbos são conjugados do mesmo modo.*

1 Eu [medir] este pano.
2 Eu [despedir-se] de ti.
3 Não [perder, *imperative* (tu)] a mala.
4 Não [valer, (it)] a pena zangar-se.
5 Eu [impedir] -lhe o caminho.
6 Eu só te [pedir] é lealdade.
7 Eu [ouvir] alguém tocar à porta.
8 Talvez o advogado [requerer, *subj.*] provas do seu testemunho.
9 Isso não [impedir] que tu lhe escrevas.
10 [valer, *imperative*] -me Deus.
11 Você nunca me [ouvir].
12 Quero que o senhor me [medir, *subj.*] esta sala bem.
13 Os polícias [desimpedir] o trânsito.
14 Quando estou nervosa [perder] sempre as estribeiras (*I lose my head*).
15 Nós não [perder] mais nada.

4.2: Indefinite pronouns and adjectives

(a) *Variable*

algum (*f. & pl.*)	some, any (*affirmative and interrogative*)
todo (*f. & pl.*)	all, every
mesmo (*f. & pl.*)	same
próprio (*f. & pl*)	proper, self / selves
nenhum (*f. & pl*)	none, any (*in the negative*)
certo (*f. & pl.*)	certain
pouco (*f. & pl.*)	little, a few
muito (*f. & pl.*)	much, many
qualquer, quaisquer	any (*of a choice, used in the interrogative, negative and affirmative*)

ambos, ambas	both
outro *(f. & pl.)*	other
um outro *(f. & pl.)*	another, some others
vários, várias	several, various

(b) *Invariable*

alguém	somebody, anybody *(affirmative and interrogative)*
ninguém	nobody, anybody *(negative)*
tudo	everything
cada	each
nada	nothing
nada mais	nothing else
algo	something *(N.B. This form is much less common than* **alguma coisa***)*
mais	more
menos	less

Note particularly the following points:

- **Cada** ('each') has to be followed by **qual** or **um**, or a noun.

- **Ambos / ambas** ('both'): it is an error to add **os dois / as duas**.

- **Alguma vez** ('ever') as an interrogative: **Já alguma vez viu uma coisa assim?** *Have you ever seen such a thing?*

- **Todos** is a pronoun when it is used instead of a noun, usually in a general and vague sense – for example: **Se todos fossem bons não teríamos problemas na sociedade.** *If everybody were good we wouldn't have problems in society.*

Exercício 3

Insere um dos pronomes ou adjectivos da lista acima:

1 Há aqui ____ que me queira ajudar?
2 Ele trabalhou ____ a noite.
3 ____ qual sabe de si.
4 Eu costumava vê-lo ____ os dias.
5 Eu ____ vez te disse isso?
6 Não gosto de ____ chapéu.
7 Uma ____ menina disse-me que tu ias casar.
8 Manuel e João gostam de música; ____ tocam piano.
9 Este trabalho pode fazer-se em ____ dia.
10 Falei com ele ____ vezes.
11 Eu (f) ____ lhe contei a história.
12 ____ me diz que ela está a mentir.
13 O sapateiro cantou ____ o dia.
14 Isto não podia acontecer em ____ outro país.
15 Hoje em dia ____ quer trabalhar.
16 Ele gosta ____ desta cerveja.
17 Não quero ____

4.3: Revising the preterite of irregular verbs

The preterite, of course, is the past definite or simple past tense …
'I did', 'I have done'. We can group together those irregular verbs
which follow the same pattern in the past tense, i.e. they are regular
in all persons except the first person singular. Here's the form for
trazer, 'to bring' (omitting the personal pronouns):

trouxe, trouxe**ste**, trouxe, trouxe**mos**, (trouxe**stes**), trouxe**ram**.

The other verbs are (with the respective endings as above):

saber:	**soube**
caber:	**coube**
haver:	**houve**
dizer:	**disse**
querer:	**quis**

The following verbs change in the first <u>and</u> third persons singular (the remaining persons follow the pattern above):

fazer:	**fiz, fez,** (fizemos, etc.)
poder:	**pude, pôde,** (pudemos, etc.)
ter:	**tive, teve,** (tivemos, etc.)
estar:	**estive, esteve,** (estivemos, etc.)
pôr:	**pus, pôs,** (pusemos, etc.)

And here are the truly naughty ones:

ser and **ir:**	**fui, foste, foi, fomos, (fostes), foram**
vir:	**vim, vieste, veio, viemos, (viestes), vieram**
dar:	**dei, deste, deu, demos, (destes), deram**

N.B. Compound verbs belonging to the same family as their 'root' verb are conjugated in the same way as the parent verb. For example: **compor, rever, refazer, reter, rever,** etc.

Exercício 4

Complete as frases no passado definido (pret.) dos verbos em parêntesis:

1 Só mais tarde é que eu [vir] a saber que ele estava inocente.
2 Eu [saber] o que ele fazia.
3 Que mal te [fazer] ele?
4 Quem lhe [dizer] que eu tinha sido promovida?
5 Nós [ir] a tua casa, mas batemos com o nariz na porta.
6 A polícia [deter] – os durante 24 horas.
7 O compositor Luís de Freitas Branco [compor] lindas sinfonias e música de câmara.
8 Eu [pôr] a minha fé nela.
9 Eu já te [dar] todos os pormenores.
10 O que foi que ele lhe [trazer]?
11 Eu [ser] muito estúpida.
12 Ela não [caber] em si de contente.
13 [haver] muita gente que não acreditou.
14 Eu não [poder] ir com eles.
15 Ele [estar] cá mas não [fazer] o trabalho que eu esperava.

4.4: Similes

Many current expressions in Portuguese involve comparisons associated with animals. For example: **Ela é diligente como uma formiga** – *She's as hardworking / diligent as an ant.* In working through the next exercise, you'll meet other similes which add to the richness of the language.

Exercício 5
Complete este exercício com o nome do animal apropriado nas comparações abaixo dadas:

formiga (*ant*)   raposa (*fox*)   bode (*billy-goat*)
leão (*lion*)   lesma (*slug*)   cobras (*snakes*)
burro (*donkey*)   pavão (*peacock*)   rato (*mouse*)
rouxinol (*nightingale*) lontra (*otter*) pisco (*finch*)
texugo (*badger*)   papagaio (*parrot*)   peixe na água
                                            (*fish in water*)

1 Ele é feio com um ____
2 Ela é manhosa como uma ____
3 O rapaz é teimoso como um ____
4 O Pedro devia fazer dieta; está gordo como um ____
5 O empregado dela é lento como uma ____
6 O rei Afonso Henriques tinha uma coragem de ____
7 Esse homem é mau como as ____
8 A Rosa está sempre a trabalhar como as ____
9 A Maria fala pelos cotovelos, parece um ____
10 Durante a discussão ele permaneceu calado como um ____
11 Maria Callas cantava como um ____
12 O noivo dela é vaidoso como um ____
13 Por causa dos exames, a moça perdeu o apetite e come como um ____
14 Agora que a Antónia está à cabeça da firma, ela sente-se como um ____
15 A minha prima está gorda como uma ____

VOCABULÁRIO

teimoso	stubborn, obstinate
falar pelos cotovelos	to speak nineteen to the dozen

53

Diálogo

Gordura é formosura   *"... como um abade"*

Florbela   Ora viva! Como vais?

Pedro   Olá, minha querida! Estás doente?

Florbela   Não, porquê?

Pedro   Estás uma magricela! Andas a morrer de amores ou andas em regime dietético!

Florbela   Regime dietético, não é bem assim mas, realmente, eu como como um pisco. Sou muito esquisita com aquilo que como. Nem como gorduras, nem carne de vaca, nem bolos ...

Pedro   Isso é que eu não podia fazer. Para mim comer é um prazer. É por isso que estou gordo como um texugo.

Florbela   Eu não diria isso. Mas já te vi no restaurante e, realmente, comes como um abade. Quanto à tua pergunta descarada devo responder-te que não ando a morrer de amores. Pelo contrário, está tudo às mil maravilhas. Mas faço também ginástica duas vezes por semana para manter a minha linha. O André é muito esquisito. Gosta de mulheres elegantes.

Pedro   Ah! Cada qual tem o seu gosto. A minha cara-metade está gorda como uma lontra mas cada vez mais alegre. Eu gosto dela assim. Não lhe peço para fazer dieta pois isso requer uma grande força de vontade. E depois, ela adora-me mesmo assim gordo e careca.

Florbela   Não exageres. Estás um pouco calvo e um pouco forte. Mas tu és simpático, dinâmico, inteligente, espirituoso ...

Pedro   Eh, menina! Chega! Deixa-te lá de lisonjas! Até estou a corar. Daqui a pouco estou a babar-me. Olha! A propósito de magreza, a minha irmã é que está a emagrecer a olhos vistos. Creio que anda apaixonada ... .

VOCABULÁRIO

gordura é formosura	fat (fatness) is beautiful – *an old Portuguese saying*
abade	abbot, monk *(this expression refers to the old abbots)*
magricela	skinny
regime dietético	on a diet
não é bem assim	not quite; it's not quite so
esquisito	fussy, finicky
gorduras	fatty products
descarada	cheeky
ginástica	physical exercise
tudo às mil maravilhas	everything is wonderful
a minha linha	my figure
elegante	*(in this context)* a slender figure
cara-metade	my 'better half'
desde que	as long as
força de vontade	strong will, iron will
careca	bald *(popular description)*
calvo	bald *(polite description)*
forte	stout
e depois	and anyway, moreover
espirituoso	witty
Eh, menina!	Come come, girl!
Chega!	Stop that! / Enough! / Enough of that!
Deixa-te lá de lisonjas	Stop the flattery
Até estou a corar	I am even blushing
Daqui a pouco estou a babar-me	I shall soon start to slobber / dribble *(like a baby)*
babar-se	to drool
magreza	thinness
emagrecer	to lose weight
a olhos vistos	visibly, before one's very eyes

5 Quinta Unidade

After visiting the Azores and learning a little more about Portuguese history and geography, you'll play a simple word game and then revise the past tenses (pluperfect, simple perfect and imperfect). As usual, a dialogue ends the unit.

Leitura & Compreensão

Os Açores   *"… assim reza a lenda"*

Os Açores são as relíquias da antiga Atlântida – assim reza a lenda.

Mas será uma lenda? Vários estudiosos e cientistas, entre eles o alemão Otto Muck, confirmam a existência dessa grande ilha, ou continente, ali no oceano Atlântico há 12.500 anos, dando provas quase irrefutáveis para a sua teoria. Eles crêem que o Pico Alto, na ilha do Pico, com 2.350 metros de altura, faz parte dessa grande montanha que outrora 'chegara aos céus' segundo Platão que, por sua vez, recebera a história do seu professor Sócrates. O sábio Solon foi quem trouxera a história fascinante 'mas verdadeira' do Egipto para a Grécia.

O arquipélago açoreano, situado no oceano Atlântico e descoberto pelos portugueses em 1431, compreende nove ilhas: São Miguel, Santa Maria, Terceira, Graciosa, São Jorge, Faial, Pico, Flores e Corvo. Todas as ilhas são vulcânicas.As suas principais cidades são: Ponta Delgada, Angra do Heroísmo e Horta.

Dotado de um clima ameno, excepto no Pico onde faz um frio de rachar, a sua beleza é incomparável: picos, lagoas, furnas vulcânicas, caldeiras que foram bocas de fogo, terrenos de lava – houve uma erupção vulcânica em 1761 – termas e vegetação luxuriante. Só uma visita às Sete Cidades, 'maravilha das maravilhas' e ao Vale das Furnas com nascentes de águas termais sulfurosas bastaria para a tornar numa experiência inolvidável.

Além da actividade da pesca, os seus habitantes ocupam-se da agricultura e da pecuária. O arquipélago produz cereais, batata-doce, bananas, ananás, laranjas, lacticínios e muito bom vinho.

Os açoreanos foram os primeiros portugueses que emigraram para os E.U.A., ali fundando a cidade de Faial. Já tinham travado relações com os americanos cujos barcos, muitos deles baleeiros, atracavam aos Açores para se abastecerem.

A sua posição geográfica faz deste arquipélago o ponto de encontro de 4 continentes: América do Norte, América do Sul, Europa e a África.

São filhos dos Açores escritores ilustres: Antero de Quental, Teófilo Braga, Manuel Ferreira Duarte, Dias de Melo, Natália Correia e Vitorino Nemésio.

VOCABULÁRIO

assim reza a lenda	so says / runs the legend
estudiosos	scholars
outrora	once, in the old days
chegara aos céus	reached the heavens
Platão	Plato
sábio	scholar, wise man, sage
trouxera	had brought
arquipélago	archipelago (*group of islands*)
dotado de	blessed with
um frio de rachar	bitterly cold
pico	peak (*of a mountain*)
furnas	caves
caldeiras	calderas (*of extinct volcanoes*)
terrenos de lava	land covered with lava
luxuriante	lush
termas	hot springs
nascentes	springs
sulfurosas	sulphurous
bastaria	would be enough
inolvidável	unforgettable
pecuária	cattle, livestock

lacticínios	dairy produce
batata-doce	sweet potato
travar relações com	to establish relations with
baleeiros	whalers (boat or man)
atracar a	to moor, to come alongside
abastecer-se	to get provisions / supplies

Exercício 1
Compreensão do texto. Responda às seguintes perguntas:

1 Onde está o arquipélago açoreano situado?
2 Que diz a lenda?
3 Você acha que é uma lenda? Apresente um argumento a favor da sua crença ou descrença.
4 Como foi, e onde foi, que essa história fascinante começou?
5 Os Açores compreendem quantas ilhas? E quais?
6 Quais são as principais cidades?
7 Descreva os Açores consoante este texto.
8 Que significa a expressão 'faz um frio de rachar'?
9 Quais são os principais produtos agrícolas?
10 Para onde emigraram os açoreanos e o que fundaram?
11 Como foi que conheceram os americanos?
12 Deve-se aos Açores alguns nomes ilustres da literatura portuguesa. Quais?

Exercício 2
Um jogo de palavras. Qual delas é a correcta? Complete as frases com as palavras seguintes:

taça	chávena	copo
posta	rodelas	cálice
fatias	ramo	xícaras
molho	embrulho	cacho
trouxa	feixe	maço

→

1 Gosto muito de tomar uma ＿＿ de chá às cinco horas da tarde.
2 Depois do jantar, bebo um ＿＿ de vinho do Porto.
3 Compra-me um ＿＿ de cigarros, por favor.
4 Não aprecio muito champanhe, mas no casamento dela bebi uma ＿＿
5 Ele comprou-me um lindo ＿＿ de flores.
6 Só quero uma ＿＿ de pescada.
7 Quantas ＿＿ de queijo queres?
8 Este bolo leva duas ＿＿ de farinha.
9 Dê-me umas dez ＿＿ de chouriço.
10 Traz-me um ＿＿ de agriões, faz favor.
11 Quer mais um ＿＿ de vinho?
12 Está aqui uma ＿＿ de roupa suja para se lavar.
13 Agora cada ＿＿ de lenha custa duzentos escudos.
14 Que lindo ＿＿ de uvas!
15 Enviei o ＿＿ por avião.

The wide bay of São Lourenço on Santa Maria

Gramática & Prática

In this chapter we are going to review the past tenses, beginning with the simple pluperfect which you must have noticed in the text 'Os Açores'.

5.1: The simple pluperfect

This pluperfect tense, called **'pretérito mais-que-perfeito simples'** in Portuguese, is more commonly used in written language than in speech, except for the expressions **tomara** ('wish / hope that …') and **quem me dera** ('how I wish …' or 'I wish it were so'). Otherwise the compound pluperfect is preferred.

- The simple pluperfect, like the compound pluperfect, expresses an action prior to another action: 'had done', 'had eaten', etc.

- The simple pluperfect also expresses an action belonging to the distant past, usually in a more classical context.

- The simple pluperfect is formed by removing the 'm' of the third person plural of the past definite tense: **eles comeram** becomes simple pluperfect **comera**. Here are three model conjugations:

	cantar	*comer*	*partir*
eu	cantara	comera	partira
tu	cantaras	comeras	partiras
você	cantara	comera	partira
ele/ela	cantara	comera	partira
nós	cantáramos	comêramos	partíramos
vós	cantáreis	comêreis	partíreis
vocês	cantaram	comeram	partiram
eles/elas	cantaram	comeram	partiram

The same formation is applied to irregular verbs:

Infinitive	*Past definite* (3rd p.pl.)	*S. Pluperfect* (1st p.pl.)
dar	deram	dera
trazer	trouxeram	trouxera
ouvir	ouviram	ouvira
vir	vieram	viera
ser/ir	foram	fora

5.2: The compound pluperfect

Known in Portuguese as the **'mais-que-perfeito composto'**, this is formed by the verb **ter** in the imperfect tense (**tinha**) plus the past participle of the main verb. For example:

Já tinha comido quando me telefonaste.
I had already eaten when you rang me up.

5.3: The compound perfect tense

This, the **'pretérito perfeito composto'**, is formed by **ter** in its present indicative form plus the past participle of the main verb. It expresses a continuous action from the past into the present. For example:

Tenho feito muito trabalho.
I have been doing a lot of work.

N.B. It does not mean 'I have done a lot of work', which uses the simple perfect – **Fiz muito trabalho**. See below.

5.4: The simple preterite (past definite)

In the **'pretérito perfeito simples'** we are dealing with the equivalent of 'I have eaten', 'I ate', 'I did eat': **comi**. Here are the four most difficult verbs in the simple perfect:

	ser/ir	*pôr*	*vir*
eu	fui	pus	vim
tu	foste	puseste	vieste
você	foi	pôs	veio
ele/ela	foi	pôs	veio
nós	fomos	pusemos	viemos
vós	fostes	pusestes	viestes
vocês	foram	puseram	vieram
eles/elas	foram	puseram	vieram

For other irregular past tenses, please consult Hugo's *Portuguese Verbs Simplified*.

5.5: The imperfect tense

The 'imperfeito' expresses an action that used to take place in the past or was taking place when it was interrupted. For example:

Eu comia muito quando era mais jovem.
I used to eat a lot when I was (used to be) younger.

This tense is very easy to conjugate as it is regular, with the exception of four verbs.

- *The regular form:*

All verbs ending in **-ar**:   -ava, -avas, -ava,
                                         -ávamos, -áveis, -avam.
All verbs ending in **-er/-ir**:   -ia, -ias, -ia,
                                          -íamos, -íeis, -iam.

For example: **falava, estava, dava, podia, comia, partia, sabia, via, fazia, dizia.**

- *The four exceptions:*

ter: tinha, tinhas, tinha, tínhamos, tínheis, tinham.
vir: vinha, vinhas, vinha, vínhamos, vínheis, vinham.
ser: era, eras, era, éramos, éreis, eram.
pôr: punha, punhas, punha, púnhamos, púnheis, punham.

Exercício 3

Complete o seguinte exercício com os tempos apropriados:

chegara;	foi, trouxera;	houve;
descobriram;	foram;	recebera;
atracavam;	tinham travado;	fez;
tenho lido;	dera;	temos feito;
era, brincava;	temos tido;	chegou, punha;
foram, emigraram;		

→

---

1 A montanha que outrora ____ aos céus.
2 Ele por sua vez ____ a história do seu professor.
3 Solon ____ quem ____ a história para a Grécia.
4 Elas ____ bocas de fogo.
5 ____ uma erupção vulcânica.
6 Os açoreanos ____ os primeiros portugueses que ____
para a América do Norte.
7 Já ____ relações com os americanos.
8 Os baleeiros ____ a estas ilhas.
9 Ultimamente, ____ outras versões sobre este tema.
10 Quem me ____ que fosse verdade!
11 Os portugueses ____ este arquipélago em 1431.
12 Nós ____ muitos afazeres.
13 Quando ____ criança ____ contigo.
14 Quando ele ____ eu ____ a mesa.
15 Ele ____ tudo por ela.
16 Nós ____ *[perfect]* todo o possível para evitar dar-te esse
desgosto.

Exercício 4
Emparelhe!

1 O barco já ia longe …	A	como nós esperávamos.
2 Nunca cheguei a compreender …	B	eu não via um espectáculo assim.
3 Ele saltava da cama …	C	mas ela continuava a acenar com o lenço.
4 A surpresa foi tão grande …	D	ele voltasse são e salvo.
5 Há quanto tempo …	E	nunca lá tinha estado.
6 Ultimamente …	F	mal o dia despontava.
7 Fui eu quem …	G	que ele ficou de boca aberta.
8 Finalmente fui a Macau; …	H	tem havido muitos acidentes de viação.
9 Prouvera a Deus que …	I	o que tinha acontecido.
10 Os negócios não correram …	J	lhe fez essa proposta.

DIÁLOGO

O tempo

"Um frio de rachar"

(Sofia ouvindo a previsão do tempo, em Londres) "… prevê-se chuva para esta noite que continuará até domingo; ventanias fortes ao longo do litoral; neve ao norte do país com temperaturas abaixo-zero …"

Sofia   Que chatice! Quem me dera estar em Portugal! Vou telefonar à Helena.
[brrrrr …]

Sofia   Está lá? És tu, Helena?

Helena   Sou sim. Quem fala? Ah, a minha amiguinha Sofia! Ora viva! Há quanto tempo eu não te ouvia. Então, quando vens cá?

Sofia   Adivinhaste. Decidi ir dar um salto aí. Estás disposta a aturar-me?

Helena   Claro. É sempre um prazer. Mas, posso saber o que foi que causou esta súbita decisão? Estás farta de Londres ou zangaste-te com o teu namorado?

Sofia   Nem uma coisa nem outra. Estou farta do tempo até a ponta dos cabelos. Aqui faz um frio de rachar e tem chovido a cântaros. Tivemos uma pequena pausa mas, esta noite, vai chover outra vez, conforme o boletim metereológico. Além disso, o John está em Nova Iorque, organizando uma exposição que vai durar uma semana.

Helena   Porque não o acompanhaste?

Sofia   Não estou pr'a estar metida no hotel e não me apetece andar a passear pelas ruas de Nova Iorque que, aliás, já conheço. Mas como está o tempo aí?

Helena   Aqui, no Algarve, está muito calor. O sol e a areia escaldam. Na semana passada houve uma grande trovoada durante a noite, seguida de um forte vendaval que ia quase destruindo toda a agricultura. Algumas árvores ficaram derrubadas. As minhas ameixoeiras escaparam por um triz.

Sofia	Mas agora está tudo calmo, não?
Helena	O quê? Desculpa, não ouvi ... fala mais alto.
Sofia	Eu perguntava se agora estava tudo calmo.
Helena	Sim, está. Só que, a temperatura que tinha baixado durante esse tempo, voltou a subir esta semana. Estou sempre a suar e não tenho vontade de fazer nada.
Sofia	Que maravilha! Eu adoro o tempo assim. Não te preocupes. Eu vou ajudar-te. Agora vou marcar as passagens e telefono-te mais logo para te dizer quando chego aí.
Helena	Cá te espero. Estou ansiosa por te ver.

Ochre sandstone rocks on the sheltered beach of Praia de Dona Ana, Lagos

VOCABULÁRIO

previsão do tempo	weather forecast
boletim metereológico	weather report
prever-se	to foresee, to forecast; to expect
Que chatice!	(*slang*) What a nuisance!
adivinhar	to guess
dar um salto	to drop in (= to go for a short while)
disposta a	willing to
aturar-me	to put up with me
súbita	sudden
zangar-se com	to be cross with, to have a quarrel with
farta	fed-up
até a ponta (raíz) dos cabelos	up to my neck
chover a cântaros	to rain cats and dogs
pequena pausa	a respite, a pause
não estou pr'a	I don't want, I am not going to
estar metida no hotel	to be shut in / hidden in a hotel
não me apetece	I don't feel like
aliás	anyway
trovoada	storm
relâmpagos	lightning
vendaval	strong wind; gale
derrubadas	felled; overthrown
ameixoeiras	plum trees
escapar por um triz	narrowly missed; to escape by the skin of one's teeth
só que	the only thing is, the problem is
suar	to sweat
não tenho vontade	I don't feel like
mais logo	later
cá te espero	I'll be expecting you
estou ansiosa por te ver	I look forward to seeing you, I'm anxious to see you

INTERVALO 1

As a break from the routine study pattern, here's a short "Do you know …" briefing on Portuguese cultural facts and figures. You should have no difficulty in understanding these notes.

CONHECIMENTO CULTURAL

Você sabia que …?

* Portugal 'nasceu' após a batalha de S. Mamede entre D. (Dom) Afonso Henriques e sua mãe D. (Dona) Teresa, em 1128, ficando ele vitorioso e proclamando-se independente de sua mãe e do reino de Leão. Só em 1143 é que esta independência e o título de rei, que D. Afonso Henriques tomara três anos antes, foram reconhecidos por Afonso VII de Leão e Castela.

* Afonso Henriques nasceu em Guimarães e é por isso que se chama a esta cidade 'o berço de Portugal'.

* O primeiro bispo de Lisboa foi um inglês, Gilberto de Hastings, que viera com outros cruzados ajudar D. Afonso Henriques na conquista de Lisboa.

* Em 1195 nasce em Lisboa Santo António, conhecido também por Santo António de Pádua por ter morrido nessa cidade em 1231.

* O Castelo de S. Jorge em Lisboa é assim chamado em honra do santo inglês cujo nome os cruzados ingleses invocavam durante a conquista da cidade (1147).

* Com a conquista do Algarve em 1249, o país estava livre do domínio árabe.

* Cortes (Parlamento) em 1254 nas quais, além da nobreza e do clero, estava o povo representado.

- 1290 fundação da Universidade em Lisboa, depois transferida para Coimbra. Ensinava-se então Direito Canónico, Direito Civil, medicina, dialéctica e gramática.

- Tratado de Comércio entre D. Dinis e o rei da Inglaterra em 1308 (Carta Mercatória). Seguiram-se outros tratados mercantis.

- Rainha Santa Isabel, esposa do rei D. Dinis, foi uma senhora caritativa e humilde. Fundou hospitais em Coimbra e outras cidades, assim como o Mosteiro de Santa Clara em Coimbra. Foi exemplar a sua intervenção nas lutas entre o marido e seu filho evitando assim consequências mais graves. O povo atribuíu-lhe milagres como o das rosas. Foi canonizada em 1625.

- Aliança entre Portugal e a Inglaterra em 1373.

- A Batalha de Aljubarrota entre Portugal e a Espanha travou-se em 1385, da qual D. João I e o grande soldado, Nuno Álvares Pereira saíram vitoriosos. Dando graças à Nossa Senhora da Vitória, D. João mandou erigir o magnífico Mosteiro de Santa Maria da Vitória, vulgarmente conhecido por Mosteiro da Batalha. O arquitecto principal foi Afonso Domingues.

- Tratado de Windsor em 1386 entre Portugal e a Inglaterra. No ano seguinte, D. João casou com D. Filipa de Lencastre, filha de João de Ganda e neta de Eduardo III da Inglaterra. O Infante Dom Henrique, 'o Navegador', foi um dos seus ilustres filhos.

- Fernão Lopes, cronista sem par, que testemunhou a transição da era medieval para a da Renascença (XIV a XV). Foi cronista-mor do reino. Graças às suas Crónicas de D. Pedro, de D. João e de D. Fernando possuímos hoje um retrato fiel dos costumes daquela era e da revolução socio-política.

- No reinado de D. João I começa a época gloriosa de Portugal, com os descobrimentos. E estes são tantos e tantos os navegadores ilustres que não podemos mencionar aqui, excepto para falar de alguns acontecimentos que talvez não sejam muito conhecidos.

- Um dos grandes navegadores foi Gil Eanes que conseguiu dobrar o Cabo Bojador em 1434, abrindo assim o caminho para uma outra grande façanha, a de dobrar o Cabo das Tormentas, depois Cabo da Boa Esperança, a qual foi realizada por Bartolomeu Dias em 1488.

- João Vaz, Corte Real e Álvaro Martins Homem descobriram a Terra Nova (Newfoundland).

- Gaspar, filho de João Vaz, descobriu o Canadá, a que deu o nome de Terra Verde, por volta de 1474 mas desapareceu na sua segunda viagem àquela terra.

- As caravelas portuguesas chegam ao Japão em 1543.

Lateenrigged Caravel

Além dos navegadores houve outros grandes homens portugueses:

- Gil Vicente, poeta, comediógrafo e pai do teatro português e mesmo do teatro ibérico. A fama das suas obras espalhou-se pela Europa. Foi pensador profundo e satirista cáustico. Escreveu em português e castelhano. Estreou-se na corte de D. Manuel, seu protector, em 1502.

- Seu contemporâneo, Bernardim Ribeiro é o inesquecível poeta do *Livro das Saudades*. Este livro é também conhecido por 'Menina e Moça'.

- Nuno Gonçalves, grande pintor do século XV. Famoso pelos painéis de São Vicente.

- Pedro Nunes, cientista, matemático e astrónomo, autor do *Tratado da Esfera, Tratado dos Crepúsculos* (1537), *Certas Dúvidas de Navegação, Definição da Carta de Marear.* Inventou o nónio (instrumento de matemática).

- Garcia da Orta, ilustre médico e naturalista, autor de *Colóquios dos Simples e Drogas* (1553), considerado o primeiro livro de 'medicina moderna'.

- *Lusíadas*, o grande épico de Luís de Camões, o poeta imortal, foi publicado em 1572. Camões morre em 1580, ironicamente com a morte da glória da Nação que ele tanto amara.

- Outro escritor e viajante, Fernão Mendes Pinto, que tanto conhecimento de terras longínquas legou a Portugal e ao mundo ocidental, morria também no mesmo ano. Percorreu o Extremo Oriente e acompanhou São Francisco Xavier ao Japão, relatando as suas extraordinárias experiências no seu livro póstumo *A Peregrinação*.

6 SEXTA UNIDADE

Now that you're into the second half of the course, it's time to revise what you've learnt about the subjunctive and to study some further uses of this. The opening piece of reading and comprehension is all about Oporto (as we call the city in English), and there's an exercise on idiomatic expressions.

LEITURA & COMPREENSÃO

Porto   *"Cidade Invicta"*

Segunda cidade de Portugal e capital do Norte, a 'Cidade Invicta' está situada na margem direita do rio Douro, na foz deste rio. Os romanos fundaram as povoações de Portus (Porto) e de Cale – donde deriva o nome de Portucale – respectivamente nas margens norte e sul do rio Douro (direita e esquerda), as quais prosperaram nesse tempo como centros comerciais e militares tendo continuado a serem cidades de importância histórica e comercial através dos séculos.

Cidade fielmente cristã, o Porto resistiu a invasões bárbaras e muçulmanas. No século XIX (dezanove), defendeu-se heroicamente contra as invasões francesas. Foi em 1820 o berço da causa liberal e sustentou o cerco em 1832. No século XIV (catorze) o burgo permaneceu leal à causa portuguesa e a D. (Dom) João, Mestre de Aviz, depois coroado D. João I. Eis a razão do seu título de 'Cidade Invicta'.

Foi nesta cidade que se realizou o casamento de D. João I com Dona Filipa de Lencastre, neta de Eduardo III da Inglaterra, na Sé do Porto em 1387. Um dos seus filhos, D. Henrique ('O Navegador') nasceu aqui em 1394.

> *"Não há um só recanto, na velha cidade, que não seja um padrão imortal da nossa história ..."*
>
> **– Júlio Dantas.**

O Porto é uma das mais antigas cidades, com um carácter muito português que continua a resistir a estilos modernos, apesar de ser uma cidade perfeitamente consciente do progresso e das últimas novidades em tecnologia. A sua beleza é pacata, misteriosa; não se descobre perante o visitante na sua primeira visita. Porém, o lindíssimo rio Douro com os seus rabelos que fazem lembrar as falucas egípcias, as suas pontes, as ruas íngremes, as torres, os azulejos nas paredes externas das igrejas e, lá em baixo, a velha Ribeira aconchegada ao Douro são imagens que ficam gravadas nas nossas mentes.

Das tradições seculares deste burgo a mais conhecida conta-nos a origem do nome de 'tripeiros' dado aos portuenses. Esta alcunha só pode causar-lhes orgulho pois atesta a sua generosidade. Diz a tradição que os habitantes do Porto privaram-se do melhor dos seus alimentos para que os barcos do Infante D. Henrique fossem bem abastecidos, aquando da expedição a Ceuta, sob o comando de D. (Dom) Henrique. Ficaram só para seu consumo com as tripas dos animais que tinham abatido. Hoje em dia, é muito apreciado um bom prato de 'Tripas à moda do Porto'.

Ao Porto cabe-lhe também a honra de ter sido a terra natal de tantos escritores ilustres, entre eles Almeida Garrett, romancista, dramaturgo e poeta; Júlio Dinis, romancista notável; Sophia de Mello B. Andresen, autora de uma significativa obra poética e de contos infantis; Tomás António Gonzaga, que viria a ser um dos mais célebres poetas brasileiros; Fernanda Botelho e muitos outros.

Porém, é pelo comércio, cada vez mais alargado e próspero, que o Porto é mundialmente conhecido contribuindo assim, em grande parte, para a economia do país. Entre as suas produções a que mais se destaca é o comércio dos vinhos produzidos na região duriense, denominados vinhos do Porto.

O incomparável vinho do Porto! Haverá alguém por esse mundo fora que não tenha saboreado uns cálices deste néctar e louvado o nome desta cidade?

VOCABULÁRIO

invicta	unconquerable, unbeaten
foz do rio	river-mouth
berço	cradle
sustentar	sustain
cerco	siege
burgo	city
sé	cathedral
recanto	nook, recess
padrão	monument
consciente	aware
pacata	quiet
descobrir-se	to reveal itself, lay bare
perante	before (in front of)
rabelos	*traditional Douro boat which used to carry the wine downstream*
falucas	ancient boats, feluccas
íngreme	steep
aconchegada	nestling by, snuggled, cuddled up
seculares	centuries old
tripeiros	tripe eaters
portuenses	native of Oporto
alcunha	nickname
atestar	to bear witness to, to prove
privar-se	to go without, deprive oneself
abastecido	provided with, supplied with
aquando	on the occasion of
caber (lhe)	falls to (it), befalls
tinham abatido	had slaughtered
terra natal	birthplace
dramaturgo	playwright
duriense	*from, or pertaining to the Douro region*
por esse mundo fora	in this wide world, throughout this (wide) world
cálice	small wine glass *(for port, liqueurs)*
saborear	to savour
louvar	to praise

'Barcos rabelos' moored beside the quay at Vila Nova de Gaia

Exercício 1

Compreensão do texto. Responda às seguintes perguntas:

1 Onde se situa o Porto?
2 Explique a origem do seu nome.
3 Qual é o título dado a esta cidade?
4 Dê as razões desse título.
5 Que acontecimentos felizes se deram no Porto nos século XIV?
6 Cite o escritor Júlio Dantas na sua referência a esta cidade.
7 Descreva o carácter do Porto consoante este texto.
8 Qual é a alcunha que os portuenses têm e porquê?
9 Que outra honra cabe ao Porto?
10 Em que região são os seus vinhos, na realidade, produzidos?

Expressões idiomáticas

Have a look through the idiomatic expressions which appear in the next exercise, and revise the relevant section in Hugo's *Portuguese in Three Months* (or whichever textbook you used). When you have refreshed your memory, do the exercise – there will be some idioms you haven't yet come across.

Exercício 2

Escolha entre as três hipóteses o correcto significado da expressão idiomática:

1 Hoje vi-me grega para apanhar um táxi.
   a) senti-me estrangeira;
   b) senti-me desorientada;
   c) tive muita dificuldade.

2 O presidente pôs tudo em pratos limpos.
   a) limpou os pratos;
   b) esclareceu tudo;
   c) arrumou tudo em pratos.

3 A Ana está com dor de cotovelo.
   a) magoou-se no cotovelo;
   b) teve inveja;
   c) quis acotovelar.

4 A Rita fala pelos cotovelos.
   a) gosta muito de falar;
   b) fala por trás;
   c) fala pouco.

5 Eu gosto sempre de pôr os pontos nos ii
   (*Br.* pingos nos ii).
   a) pôr os acentos correctos;
   b) ser muito esquisita;
   c) dizer as coisas como são.

6 Ele é um zero à esquerda em mecânica.
   a) compreende muito de mecânica;
   b) é rápido no trabalho de mecânica;
   c) não percebe nada de mecânica.

7 O casamento ficou em águas de bacalhau.
   a) desmanchou-se;
   b) choveu durante o casamento;
   c) só comeram peixe no casamento.

→

8 Essa história não tem pés nem cabeça.
   a) não faz sentido nenhum;
   b) não tem princípio nem fim;
   c) não tem enredo.

9 A casa está de pernas para o ar.
   a) a casa está em disputa;
   b) a casa está toda desarrumada;
   c) a casa não foi comprada ainda.

10 Ele meteu os pés pelas mãos quando estava no tribunal.
    a) Ele atrapalhou-se, desorientou-se;
    b) estava nervoso;
    c) não estava quieto.

11 A D. Maria está no seu estado interessante.
    a) está cada vez mais bonita;
    b) agora está muito simpática;
    c) está grávida.

12 O ministro não teve papas na língua.
    a) não se enervou;
    b) disse francamente o que pensava;
    c) expressou-se vagamente.

13 Na eleição de 1997, os ingleses viraram a casaca.
    a) mudaram de vestuário;
    b) mudaram as suas concepções políticas;
    c) deixaram de votar.

14 Quando a Rosa me disse que ela ia para a África eu fiquei de cara à banda.
    a) muito zangada;
    b) estupefacta;
    c) fiquei a olhar para ela.

15 Já estou com a barriga a dar horas.
    a) com muita fome;
    b) com dores de estômago;
    c) já estou atrasado.

GRAMÁTICA & PRÁTICA

You should now revise the formation and use of the subjunctive, which was explained in Hugo's *Portuguese in Three Months*.

6.1: When to use the subjunctive

The subjunctive mood, in all its tenses, does not express an actual fact, unlike the indicative mood.

- It is dependent on the main clause when this expresses doubt, denial, wish, regret, command, prohibition, permission, hope, suggestion, supposition, surprise, sorrow or happiness – and similar. For example:

Pres. subj.	**Espero que ela *venha*.**
Imp. subj.	**Tive pena que ela não *viesse*.**
Perfect subj.	**Duvido que ela *tenha* vindo.**
Pluperf. subj.	**Não acreditei que ele *tivesse* vindo.**

- It is also employed:

a) in impersonal sentences such as the following:

é bom que	**é importante que**
é provável que	**é melhor que**
é preciso que	**convém que**
é possível que	**basta que**

b) after:

talvez
tomara que
oxalá
quem me dera
Deus queira que

c) in negative sentences when the main verb expresses a thought or opinion. Four examples of such are:

não creio que
não me parece que
não julgo que
não (me) admira que

d) after some conjunctions :

a não ser que	**se bem que**
embora	**antes que**
caso	**até que**
sem que	**para que**
ainda que	**quer ... quer**
contanto que	**a fim de que**
mesmo que	**desde que**
uma vez que	

e) in relative clauses after indefinite antecedents:

um que
alguém que
quem quer que
tudo que
nada que, and similar.

For example:
Quero uma casa que tenha vistas para o mar.
(I want / would like a house that overlooks the sea.)

As you know, the present subjunctive is easy to conjugate.
Let us recap ...

* Regular verbs ending in **-ar** (for example, **falar**):
fale, fales, fale, falemos, (faleis), falem.

* Regular verbs ending in **-er** (for example, **comer**):
coma, comas, coma, comamos, (comais), comam.

* Regular verbs ending in **-ir** (for example, **partir**):
parta, partas, parta, partamos, (partais), partam.

Irregular verbs follow the first person of the present indicative tense, changing the final 'o' to 'e'. Thus, if the present indicative of **ter** is **tenho**, the present subjunctive will be:

tenha, tenhas, tenha, tenhamos, (tenhais), tenham.

There are seven exceptions to this 'golden rule':

ser:	**seja**
estar:	**esteja**
dar:	**dê**
ir:	**vá**
querer:	**queira**
saber:	**saiba**
haver:	**haja**

Exercício 3
Complete com a forma do conjuntivo no presente:

1 Espero que ela _____ melhor. [estar]
2 Duvido que ela _____ na Bolsa. [trabalhar]
3 Convém que lhe _____ a verdade. [dizer]
4 Basta que tu _____ às cinco horas. [sair]
5 Oxalá não _____ amanhã. [chover]
6 Quem quer que _____, diz-lhe que não estou. [ser]
7 Tomara que eles _____ depressa. [vir]
8 Não creio que ela _____. [mentir]
9 Caso você não _____ comparecer, telefone-me. [poder]
10 Embora não _____ muita gente aqui eu prefiro o outro bar. [haver]
11 Ajudo-te contanto que eu _____ a história. [saber]
12 Não posso ir ao cinema a não ser que tu me _____ o dinheiro. [dar]
13 Sugiro que tu _____ com ele. [ir]
14 O rapaz fica aqui até que _____ perdão. [pedir]
15 Irei à praia quer _____ quer _____ sol. [chover, fazer]
16 Quero uma mulher que _____ boas qualidades. [ter]
17 É melhor que você _____ o embrulho *(parcel)* amanhã. [trazer]

6.2: Further uses of the subjunctive

The subjunctive is also used after these adverbs and conjunctions:

por mais que	however much
por muito que	however much
por pouco que	however little
por muito pouco que	however little
por maior que	however big
por mínimo que	however little / minor
por melhor que	however good (better)
por pior que	however bad (worse)
quem quer que	whoever
onde quer que	wherever
o que quer que	whatever

Exercício 4
Complete com a forma do conjuntivo no presente:

1 Por mais que eu lhe _____ para limpar a casa, ele não faz caso. [dizer]
2 Por mínima que _____ essa despesa, eu não posso pagar. [ser]
3 Por maiores que _____ as suas dores, ela nunca se queixa. [ser]
4 Não vão ganhar a corrida, por muito que _____. [esforçar-se]
5 Por muito bem que eles _____ o trabalho, nunca o farão tão bem como o Pedro. [fazer]
6 Por melhor que _____ a tua sopa, eu prefiro a minha. [saber]
7 Por mais que eu _____, não consigo fazê-lo. [querer]
8 Por piores que _____ as circunstâncias, não vejo razão para te suicidares. [parecer]
9 Por pouco rendimento que a casa me _____ eu não a vendo. [dar]
10 Sempre nos lembraremos de ti onde quer que (nós) _____. [estar]

LEITURA (2)

Uma carta a uma amiga

To close this chapter here is a friendly letter which serves as a further
exercise revising all indicative and subjunctive tenses.

Exercício 5

*Insere a forma verbal conveniente – (1: ...), no indicativo
ou conjuntivo.*

9 de Setembro de 1997

Querida Octávia,

Espero que você (*1:* estar) bem, assim como toda a sua família.
Há muito tempo que não (*2: eu* ter) notícias suas. Eu (*3:* pedir)-
-lhe desculpa pelo meu atraso mas (*4:* ter, *perfect.*) muito
trabalho. Como está a sua tia? Oxalá ela se (*5:* encontrar)
melhor.

Por cá, está tudo na mesma embora (*6:* haver) agora um
partido trabalhista a governar. Deus queira que tudo (*7:* correr)
bem, mas não creio que (*8:* ir) fazer muita diferença na vida
do zé-povinho. E a propósito, como está o teu Zé? Duvido
que ele se (*9:* lembrar) de mim.

Ele deve estar já muito crescido. Eu recordo com saudade as
temporadas que (*10:* passar) em Portugal, os belos manjares
que vocês me (*11:* oferecer) e os bons vinhos que (*12: eu,*
saborear) na vossa casa. Quando estou aí, (*13:* comer) sempre
como um abade. Não é justo que se (*14:* dizer) que um abade
come muito mas esta símile (*15:* datar), certamente, dos
tempos antigos.

No dia dos meus anos (*16:* ir, *pret.*) ver o Ballet Kirov. Que
espectáculo maravilhoso! Não me parece que (*17:* haver)
outro melhor, por muito que eu (*18:* tentar) lembrar-me.

→

Que novidades (*19:* você ter) por aí? Espero que a nova rede
do metropolitano de Lisboa já (*20:* estar) pronta. Vou a
Lisboa ver a EXPO 98 em Junho, quer (*21:* chover) quer não
(*22:* chover). O meu namorado (*23:* querer) que nós (*24:* visitar)
Macau antes que este (*25:* deixar) de ser português. Talvez eu
(*26:* ir) com ele, pois eu (*27:* estar) também muito interessada.
O problema é o meu trabalho. Quanto às despesas, ele é que
(*28:* pagar). Na semana passada ele (*29:* ter) uma sorte na
corrida de cavalos e o dinheiro que ele (*30:* ganhar) (*31:* vir)
mesmo a calhar como ginjas.

Falando de dinheiro, não (*32:* saber, eu) se já lhe (*33:* dizer)
que a taxa de juros aqui (*34:* aumentar, pret.*). Talvez (*35:* vir)
a aumentar ainda mais. E o nosso Primeiro-Ministro quer que
os carros (*36:* deixar) de circular na cidade, tanto quanto
possível. Entretanto os motoristas (*37:* estar) a ser (*38:* multar)
a torto ou a direito.

Por hoje termino, (*39:* ficar, pres. part.*) à espera de suas notícias.
Saudades a todos. Um grande abraço para si da sempre amiga –

Teresa

Vocabulário

partido trabalhista	labour party
zé-povinho	the people, the plebs, the man-in-the-street
crescido	grown up
temporadas	times, seasons
manjares	food / meals
símile	simile, comparison
rede	network; grid
ditado	popular saying
calhar como ginjas	it's a godsend (**ginjas**: morello cherries)
taxa de juros	interest rates
multar	to fine
a torto ou a direito	by hook or by crook

7 SÉTIMA UNIDADE

Here, you'll learn something about Portuguese wines before revising and adding to your knowledge of the subjunctive in its imperfect and perfect tenses. The conditional in its various forms is also reviewed. In the closing dialogue, we touch upon Brazilian Portuguese and how this differs.

LEITURA & COMPREENSÃO

Os vinhos portugueses   *"Quanto mais velho, melhor ..."*

História

Segundo diversos investigadores, a introdução da vinha em Portugal remonta ao tempo dos Fócios, que estiveram na Península Ibérica por volta do ano 500 a.C. Outros povos invasores continuaram com a cultura da vinha, notavelmente os romanos que deixaram por cá os seus lagares. Por alturas do nascimento de Portugal no século XII, já a cultura vinícola se encontrava bem estabelecida em várias regiões, registando-se em finais do século XIV, as primeiras exportações de vinho.

Em várias épocas da nossa história, o vinho veio a ser o principal produto de exportação e, consequentemente, a principal fonte de receita nacional. Ao abrigo do Tratado de Methuen, um tratado comercial entre Portugal e a Inglaterra assinado em Lisboa em 1703, os vinhos portugueses passaram a ser admitidos na Grã-Bretanha pagando dois terços dos direitos impostos aos vinhos franceses.

Em meados do mesmo século, Marquês de Pombal, Secretário do Reino (o 'déspota iluminado'), criou a Companhia Geral da Agricultura das vinhas do Alto Douro e demarcou a região do Douro, ficando esta, com o monopólio dos vinhos. Embora ele mandasse arrancar as cepas em várias regiões, para assim plantar cereais, estas foram replantadas logo depois por ordem da rainha D. Maria I e hoje temos vinhas por todo o país.

Os nossos tempos

Hoje, Portugal é o sexto maior produtor mundial de vinhos. Devido à política de fomento no sector vinícola nestes últimos anos, há agora muitas novas marcas ao alcance do mercado externo – vinhos para todos os gostos e preços.

Em Trás-os-Montes, ao nordeste, província xistosa e com temperaturas muito elevadas ou baixas – razão por que se lhe chamam 'terra fria, terra quente' – temos os rosés e, no seu Vale do Douro o incomparável Vinho do Porto com uma graduação de 25. E quanto mais velho ele é, melhor!

Do Minho, província nortenha exposta ao Atlântico, marcada por pluviosidade e com temperaturas amenas, vêm os Vinhos Verdes (brancos e tintos) cultivados nos seus socalcos, oferecendo uma agradável frescura, enquanto que o tão conhecido Dão, com o seu gosto aveludado e aroma requintado, vem da montanhosa província da Beira Alta.

Os famosos vinhos de Colares e de Bucelas, que datam respectivamente dos séculos XIII e XVI, são produzidos na província da Estremadura. Têm um paladar e aroma inconfundíveis. Perto de Lisboa, o vinho adocicado de Carcavelos com uma graduação de 18 a 20. Ao longo do litoral desta região há muitos outros vinhos, como por exemplo Bairrada, Arruda e, na região de Setúbal, o famoso Moscatel e o muito apreciado Quinta da Bacalhoa.

Do Ribatejo e Alentejo, começam a chegar às prateleiras dos supermercados estrangeiros muito bons vinhos. A mais recente região a entrar na concorrência é o Algarve. Os vinhos algarvios, geralmente com um teor alcoólico para cima de 13 graus, são leves, aveludados e com sabor a fruto. Melhoram com o envelhecimento.

Das regiões demarcadas, destaca-se o vinho da Madeira, de várias castas e tipos, uns para aperitivos e outros para sobremesa, cultivado nas suas encostas.

Os Açores, principalmente as ilhas do Pico e Graciosa, também apresentam os seus vinhos frescos, leves e secos com gosto a fruto. A sua produção resulta das videiras situadas em terrenos pedregosos, junto à costa.

VOCABULÁRIO

quanto mais velho, melhor	the older the better
remonta	goes back to, dates from
a.C.	B.C.
por cá	here, over here (*in this context it refers to Portugal*)
lagar (*m.*)	wine press
cultura vinícola	the cultivation of the vine
fonte (*f.*)	source
receita	revenue, income
ao abrigo do …	under the …
direitos	dues
impostos (*p.p. of* **impôr**)	imposed
meados	mid, middle
déspota iluminado	enlightened despot
demarcou (demarcar)	set the limits, demarcated
arrancar	to pull out
cepa	young vine
ao alcance	within reach of, available to
nordeste	northeast
para todos os gostos	to everybody's taste
xistosa	schistose (*of schist*), slate
pluviosidade	rain, pluvial conditions
amena	mild; pleasant
socalco	terrace (*on a slope*)
frescura	coolness
aveludado	velvety
teor (*m.*)	content
requintado	refined, perfect
paladar (*m.*)	taste; palate
prateleira	shelf
concorrência	competition
sabor (*m.*)	taste, flavour
envelhecimento	old age
casta	kind; caste, breed
encostas	slopes, hillsides
gosto	taste
videira	vine
pedregosos	rocky, stony

Exercício 1

Compreensão do texto. Responda às seguintes perguntas:

1 A que era remonta a cultura da vinha em Portugal?
2 Quando foi fundada a nação portuguesa?
3 De que data se registam as primeiras exportações de vinho português?
4 O que aconteceu em 1703?
5 Quem foi que mandou arrancar as cepas em certas regiões? E porquê?
6 Descreva as características de Trás-os-Montes.
7 Donde vêm os vinhos verdes? Descreva as caraterísticas desta região.
8 Fale dos vinhos de Colares e Bucelas.
9 Descreva outros vinhos produzidos ao longo do litoral.
10 Como são os vinhos algarvios?
11 Descreva os vinhos da Madeira.
12 Em que ilhas dos Açores se produz vinho?

Exercício 2

Um jogo de palavras. Em cada família há 'um estranho'. Qual? [Ex.: grande, amplo, grandioso, espaçoso = grandioso.]

1 videira, vinho, cepa, parreira   _____
2 saber, paladar, gosto, sabor   _____
3 casta, raça, casto, qualidade   _____
4 safra, colheita, safrão, vindima   _____
5 responder, retorquir, regatear, replicar _____
6 meados, meta, metade, meio   _____
7 lago, albufeira, lagoa, lagar   _____
8 terreno, país, nação, terra   _____
9 direitos, directo, taxas, impostos   _____
10 beiral, costa, litoral, beira-mar   _____

Gramática & Prática

7.1: The imperfect subjunctive

1.   The imperfect subjunctive is used in dependent clauses when they refer to the past, and follows the same rules as given for the present subjunctive. (Incidentally, the subjunctive is the 'conjuntivo' in Portuguese, but 'subjuntivo' in Brazil.) This is how you form the imperfect subjunctive:

a)   Regular verbs
Taking **falar**, **comer** and **partir** as examples, it is simply a matter of removing the **r** of the infinitive and adding the endings shown in bold below:

fala**sse**	come**sse**	parti**sse**
fala**sses**	come**sses**	parti**sses**
fala**sse**	come**sse**	parti**sse**
falá**ssemos**	comê**ssemos**	partí**ssemos**
falá**sseis**	comê**sseis**	partí**sseis**
fala**ssem**	come**ssem**	parti**ssem**

Note the accents on the 1st and 2nd persons plural.

b)   Irregular verbs
In irregular verbs, the imperfect subjunctive is formed by removing the ending of the 1st person plural (**-mos**) in the indicative past definite and then adding the bold endings shown above. An alternative way of remembering the formation is to take the past definite 1st person singular (not the plural) and add those same endings – but with verbs **fazer**, **pôr** and **querer** you must add **-esse**-:

ter	tive, tivemos;	*imp. subj.* tivesse, tivesses, tivesse, tivéssemos, tivésseis, tivessem.
fazer	fiz, fizemos;	*imp. subj.* fizesse, fizesses, fizesse, fizéssemos, fizésseis, fizessem.
querer	quis, quisemos;	*imp. subj.* quisesse, quisesses, quisesse, quiséssemos, etc.
dizer	disse, dissemos;	*imp. subj.* dissesse, dissesses, dissesse, disséssemos, etc.
pôr	pus, pusemos;	*imp. subj.* pusesse, pusesses, pusesse, puséssemos, etc.

Again, note that accents are needed for the 1st and 2nd persons plural.

There are three exceptions (four, if you number **ser** and **ir** separately) to this formation:

ser / ir	fui, fomos;	*imp. subj.* fosse, fosses, fosse, fôssemos, fôsseis, fossem.
dar	dei, demos;	*imp. subj.* desse, desses, desse, déssemos, désseis, dessem.
vir	vim, viemos;	*imp. subj.* viesse, viesses, viesse, viéssemos, viésseis, viessem.

Here are some examples of the imperfect subjunctive in use (you should not need translations – work them out):

> **Disse-lhe que viesse cedo.** (command)
> **Pensei que ela estivesse fora.** (supposition)
> **Talvez ele estivesse culpado.**
> **Por muito má que ela fosse, ela devia ser perdoada.**
> **Eu preferia um quarto que tivesse janelas para o mar.**
> **Gostei da festa embora eu preferisse que acabasse mais cedo.**
> **Ela perdoava-lhe sempre, fosse o que fosse**
>   (= *whatever*) **que ele fizesse.**
> **Quem me dera que tu estivesses aqui!**

2. The imperfect subjunctive is also used in conditional clauses introduced by **se, como se, como*, quando** and **quanto mais não**. (***Como** is also used in the indicative mood and in the future subjunctive.) For example:

> **Se eu tivesse dinheiro, iria dar uma volta ao mundo.**
> **Olhas para mim como se eu fosse uma idiota.**
> **Como fizesse frio levei o casaco de lã.**
> **Se eu fosse a ti, não dizia nada.**
> **Disse-lhe que, quando fôssemos ao Rio, o informávamos.**
>   (*whenever, if we should go to*)
> **Quanto mais não fosse, ele que te telefonasse.**
>   (*At least, he should phone / have phoned you*)

3. The imperfect subjunctive is used in dependent clauses introduced by **que** when expressing a wish, command, etc. (see example above: **ele que** ...), and when expressing a duty or obligation (*'you should ...'*):

> **Se querias emagrecer, comesses menos.**
> *If you wanted to lose weight, you should have eaten less.*

Exercício 3

Por favor, complete com as formas verbais do imperfeito do conjuntivo:

1 Seria melhor que o senhor ____ a conta agora. [pagar]
2 Se eu ____ essa posição, iria dar graças à Nossa Senhora de Fátima. [conseguir]
3 Não assinei o contracto, embora ele ____ que eu o ____. [querer / fazer]
4 Quem me dera que ____ o verão. [ser]
5 Ele dirigiu-se a mim como se eu ____ uma criada *(maid)*. [ser]
6 Tomara que ele ____ cedo. [vir]
7 Como ele não ____ nada, eu pensei que ele ____ de acordo. [dizer / estar]
8 Disse-lhe que iríamos a casa dele quando ____ o endereço. [saber]
9 Embora ele ____, eu fingi que acreditava nele. [mentir]
10 Ela disse-me que quando ____ aqui, me trazia todos os documentos. [vir]
11 Ele que ____ o outro à fava *(he should tell the other one to go to hell)*. [mandar]
12 Por muito que eu ____ dela, nunca lhe faria as vontades. [gostar]
13 Eles queriam uns sapatos que lhes ____. [servir]
14 Por piores que ____ os seus sofrimentos, ela tinha sempre um sorriso. [ser]
15 Disse-lhe que me ____ todas as referências que ela ____. [dar / ter]

7.2: The perfect subjunctive

This compound tense requires the present subjunctive of **ter** and the past participle of the other verb. It follows the same rules as the present subjunctive. Here are some examples:

> **Espero que você tenha feito uma boa viagem.**
> **Não creio que ele tenha pago a conta.**
> **Talvez ela já tenha dito isso.**
> **Embora eu tenha tido muitas dificuldades, nunca deixei de
>   cumprir os meus deveres.**

7.3: The pluperfect subjunctive

This is another compound tense, formed by the imperfect subjunctive of **ter** (**tivesse**, etc.) and the past participle of the main verb. It follows the same rules as for the imperfect subjunctive. Some examples:

> **Embora ele já tivesse comido, ele ficou para jantar.**
> **Se tu me tivesses dado a morada, eu teria escrito.**
> **Quem me dera que ela tivesse feito isso.**
> **Era bom que vocês tivessem posto a água no frigorífico.**

*Terraced vineyards covering the hillsides between Pinhão and Alijó,
in the valley of the Upper Douro*

Exercício 4

Complete com as formas verbais no perfeito ou mais-que-
-perfeito (pluperfect) *do conjuntivo:*

1 Talvez ela já ___ ___. [partir]
2 Mesmo que eles ___ ___ isso, você não devia acreditar. [dizer]
3 Espero que eles ___ ___. [melhorar]
4 Lamento que ela não ___ ___ ainda a mesa. [pôr]
5 Não creio que ele saiba alguma coisa, a não ser que vocês o ___ ___. [informar]
6 Se os fotógrafos não a ___ ___, ela hoje estaria viva. [perseguir]
7 Embora eles ___ ___ para o estádio cedo, não arranjaram bilhetes. [ir]
8 Oxalá ela me ___ ___ ouvidos. [dar]
9 Por muito mal que ele lhe ___ ___, ele não merecia um castigo desses. [fazer]
10 Duvido que eles ___ ___ uma conta bancária em Londres. [abrir]

7.4: Conditional (I would / I should)

a)   As in English, the conditional expresses a wish, a suggestion or an action which may not have a chance of being carried out, or which is contrary to present circumstances:

> **Gostaria de visitar Cabo Verde.**
> **Sem o roteiro que me deste, não iria encontrar a tal rua.**
> **Eu diria que ele está a mentir.**

b)   The conditional is used to express an action dependent on a condition followed, or preceded, by the imperfect subjunctive when introduced by **se**. Thus:

> **Eu iria ao teatro, se tivesse dinheiro. (ia ao teatro ...)**
> **Se eu fosse rica, daria dinheiro a causas caritativas.**
>   **(... dava muito dinheiro)**

c)   It is employed in indirect speech:

Ela respondeu que eles iriam chegar tarde.

N.B. The imperfect tense can replace the conditional in the three rules (a), (b), (c) above.

d)   The conditional tense is used to convey an idea of 'approximately' or speculation in a situation pertaining to the past, or an action subsequent to the time of the narrative:

A Amélia faleceu. Ela teria uns cinquenta anos.
O Estudo Geral foi criado em 1288, mas a Universidade só iria ser fundada em 1290.

To translate the English polite form 'I would like ...', use the imperfect tense of **querer** (not **gostar**): **queria**. The imperfect tense is also used with other verbs to express politeness:

Dizia-me onde fica a farmácia?
Fazia-me este favor?

As you know, the conditional has only three irregular verbs:
dizer – diria; fazer – faria; trazer – traria.

Don't forget the acute accent on the 'i' in the 1st and 2nd persons plural: **teríamos; teríeis.**

7.5: Other conditionals

*   The compound conditional (or conditional perfect) is made up of the simple conditional of **ter** (**teria**, etc.) plus the infinitive of the main verb:

    Eu teria feito esse trabalho, se me tivesses dito para fazê-lo.

*   A conditional sense can be conveyed by using **haver-de** in the imperfect plus an infinitive:

    Eu havia-de lhe dizer. (devia de lhe dizer)
    I should tell you.

- The pronominal conditional (where an object pronoun follows the conditional tense, and is thus inserted between the stem and the ending) works in the same way as the 'futuro pronominal' revised in the next lesson – see also the rules given in Hugo's *Portuguese in 3 Months*. Here is an example:

  Eu dar-lhe-ia uma comissão, se você conseguisse arranjar-me esse negócio.

Exercício 5
Translate into Portuguese:

1 They would very much like the world to be free of environmental problems.
2 He would do everything for her.
3 Would you do me the favour of translating this notice?
4 If I were brave, I would tell him to go to hell.
5 If we had your patience, we would go and play golf.
6 I would give you my new adddress, but I can't remember it exactly.
7 My sister would like (want) a black coffee and a custard tart.
8 I would give it to you *(lho)*, if I had it.
9 It must have been (it would be) three o'clock when they came in.
10 Would you tell me where is the market?

VOCABULÁRIO

problemas ambientais	environmental problems
comunicado, aviso	notice
corajoso, valente	brave
ir à fava	*(not rude)* to go to hell
pastel de nata	custard tart
conhecimento disso	knowledge of it

DIÁLOGO

... sobre o Brasil e algumas diferenças no léxico

John   Disseram-me que o brasileiro é diferente do português?

Fátima   Perdão, mas só um ignorante é que lhe podia dizer isso. Infelizmente há muitos por aí. A língua do Brasil é o português – não existe 'brasileiro' – embora tenha algumas diferenças tais como existem entre a Grã-Bretanha e os Estados Unidos. Se pensarmos bem, há diferenças no léxico e sotaque, dentro dos nossos próprios países. Não admira, pois, que o Brasil que é praticamente um continente, tenha adoptado outros termos, quer de origem nativa quer estrangeira, ou retido vocábulo português regional ou arcaico.

John   Podia dar-me alguns exemplos dessas diferenças?

Fátima   Sim, com muito prazer. **Xícara**, em vez de 'chávena', que ainda se ouve nas províncias portuguesas, do mesmo modo que se ouvem **prenome e sobrenome** em vez de 'nome próprio e apelido' usados agora em Portugal. **Cachorro**, que significa 'cão novo e pequeno' em ambos os países, é o termo normalmente preferido no Brasil para qualquer cão. No entanto, Graciliano Ramos, o meu favorito escritor brasileiro, fala de 'cão'. A expressão brasileira **todo o mundo**, em vez de 'toda a gente', já era usada no tempo do grande escritor português Eça de Queirós, o qual teve profunda influência na literatura brasileira dos fins do século XIX e na do século seguinte como foi o caso do escritor acima citado. As palavras **botar, jogar fora** em vez de 'deitar fora' do português moderno, ainda se ouvem nas províncias portuguesas. Há muitos outros exemplos.

John   E na ortografia e gramática, existem algumas diferenças?

Fátima   Como sabe, o Acordo Ortográfico foi, finalmente, assinado entre todos os países falantes de português, depois de anos em debate. Tanto Portugal como o Brasil concordaram em fazer algumas alterações. O problema é que vai levar tempo para as pessoas mudarem a maneira de escrever que lhes foi ensinada. Mas agora me lembro, você já esteve no Brasil, não esteve? Conte-me lá coisas!

John	Bem, visitei Brasília, no estado de Góias, cuja arquitectura é espantosa.
Fátima	A viagem leva muito tempo do Rio de Janeiro?
John	Não. Leva só uma hora de avião do aeroporto Galeão. Depois fui ao Nordeste e gostei muito dos nordestinos. Visitei São Paulo, a capital do café, a cidade industrial. Os paulistas parecem formigas, sempre a trabalhar. Fui ao Rio Grande do Sul, a região do pampa e achei muita piada aos trajes dos rio-grandenses ... .
Fátima	Esses são os gaúchos.
John	É isso mesmo. Já não me lembrava. Mas o meu coração ficou no Rio de Janeiro, ali no Ipanema sentado na esplanada, bebendo uma caipirinha, cavaqueando – no bate-papo, como se diz no Brasil – com as garotas cariocas e admirando a beleza em redor, especialmente o Corcovado encimado pelo monumento Cristo Redentor, o qual mete respeito.

VOCABULÁRIO

chávena / xícara	cup
nome próprio / prenome	Christian name
apelido / sobrenome	surname
achar piada	to find it funny, nice, interesting
espantoso/a	amazing
pampa	pampa (*vast grass-covered plain*)
trajes	costumes, attire
caipirinha	*traditional Brazilian drink*
bater papo	(*colloq.*) to chat
garotas	girls, 'chicks'
carioca	from / of Rio de Janeiro
Corcovado	*name of one of Rio's two best-known hills*

8 OITAVA UNIDADE

In this chapter we will revise the future tenses, with special emphasis on the future subjunctive. The reading passage gives you some insight on the 'Misericórdias', that ancient fusion of Church and State which has charitable status and an enormous income. The closing dialogue takes the form of a job application, and you'll also learn a little slang.

LEITURA & COMPREENSÃO

A Santa Casa da Misericórdia

A Misericórdia foi fundada por D. Leonor, viúva de D. João II, em 1498 numa capela da Sé de Lisboa, sob o nome de 'Irmandade da Nossa Senhora, Mãe de Deus, Virgem Maria da Misericórdia'. O objectivo era cumprir, nas palavras do prólogo do primeiro Compromisso da Misericórdia, "… todas as obras de misericórdia assim espirituais como corporais, quanto possível for, para socorrer as tribulações e misérias que padecem os nossos irmãos em Cristo".

E assim tem sido desde então. Logo em 1499, estabeleceram-se as Misericórdias do Porto e Évora espalhando-se depois por outras regiões do país e pelo ultramar, desde o Brasil a Timor. A Misericórdia de Goa, fundada em 1515-1520 foi louvada pelo maior missionário do Oriente, São Francisco Xavier.

O nome que D. Leonor lhe tinha dado, assaz longo, fora mudado pelo povo para Santa Casa da Misericórdia ou, simplesmente, as Santas Casas.

Além dos hospitais e outras acções caritativas, a Santa Casa abriu também as Cozinhas em várias cidades onde qualquer pessoa necessitada podia comer, pelo menos, uma sopa e pão sem precisar de apresentar documentação comprovativa de que era pobre.

O êxito das Santas Casas nos tempos antigos, até mesmo nos nossos, é uma prova sem paralelo do espírito caritativo e do amor ao próximo da alma portuguesa. Este espírito já se manifestara nos primeiros séculos do Portugal cristão com o hospital do mosteiro de Alcobaça, a irmandade da Ordem do Espírito Santo e a ordem de Cristo entre outras, sob a protecção da coroa portuguesa.

As generosas doações e heranças, não só dos reis e nobres, mas também do povo, permitiram a função contínua das Santas Casas e o crescimento enorme da rede das fundações e dos serviços das Misericórdias.

O Decreto de Novembro de 1851 dissolveu a Irmandade e transformou a Misericórdia de Lisboa numa instituição que passou a ser instituto público, serviço público, assistência pública, instituição oficial ou "uma verdadeira repartição do Estado" como disse Vítor Ribeiro na sua obra 'A Santa Casa de Lisboa'.

Os 'Jogos' da Misericórdia de Lisboa

A Lotaria Nacional foi confiada à Misericórdia de Lisboa por D. Maria I, em 1783. No nosso século, vieram os outros jogos: o Totobola, o Totoloto, o Joker, a Lotaria Instantânea ou a 'Raspadinha'. Os lucros dos jogos não são arrecadados totalmente pela Santa Casa; no primeiro ela fica com um terço e nos restantes com um quinto. Os lucros restantes pertencem ao Estado que os emprega em outras acções caritativas.

Este ano (1998) as Misericórdias celebram quinhentos anos desde que a rainha caritativa e visionária as fundou.

[Ref.: 'História e Actualidade das Misericórdias'
por Carlos Dinis da Fonseca]

Vocabulário

compromisso	obligation, pledge; (*in this case*) statute
miséria	poverty
padecer	to suffer
socorrer	to come to one's aid
espalhar-se	to spread
ultramar	overseas
assaz	enough, sufficiently, quite
amor ao próximo	love for your 'neighbour'
repartição	government department or office
lucro	profit
arrecadar	to collect (*taxes, rates, profits*)

Exercício 1
Compreensão do texto:

1 Por quem e quando foi fundada a Santa Casa da Misericórdia?
2 Qual era o objectivo dessa acção caritativa?
3 Até quanto esta obra caritativa influenciou o mundo?
4 Que missionário se distinguiu no Oriente?
5 Além dos hospitais, que outra ideia caritativa teve a Casa?
6 Antes das Santas Casas, havia já provas deste espírito caritativo português?
7 Donde vêm as finanças para manter as Santas Casas e as suas obras de caridade?
8 Define os termos do Decreto de 1851.
9 Quando começou a Lotaria Nacional? E os outros jogos?
10 Como são os lucros repartidos?

Linguagem popular e gíria

Estou-me nas tintas.
I couldn't care two hoots.

Estava tão farta dele que o **mandei à fava.**
I was so fed up with him that *I told him to go to hell.*

Pensei que era uma **pilhéria.**
I thought it was a *prank.*

O raio do homem que só me causa prejuízos!
The bloody man only causes me problems.

Macacos me mordam se estou a perceber o que tu dizes.
I'll be damned if I understand what you are saying.

És uma **trouxa!**
You are a *fool!*

O marido dela é **um chulo.** Não quer trabalhar; ela é que o sustenta.
Her husband is *a pimp.* He doesn't want to work; she is the one who
   keeps him.

Falei com **Fulano, Beltrano e Sicrano**, mas ninguém sabia nada.
I spoke to *Tom, Dick and Harry,* but no-one knew anything.

Ele mora em **cascos da rolha.**
He lives at the *back of beyond.*

Essa é gente de **meia tigela.**
They are *common* people. (riff-raff)

Ando **metido numa enrascada.**
I am in *a jam.*

Isso é canja, menina!
That's easy (a piece of cake), my girl!

Ó homem, não me chateies!
Hey man, stop pestering me!

Traga-me um **garoto e um prego.**
Bring me a *small white coffee and a steak sandwich.*

Porquê que estás p'ra aí **com tretas?**
Why are you going on *with that smooth talk?*

Gramática & Prática

8.1: Future indicative

This is the straightforward 'I shall' tense, the future indicative. Apart from expressing a future idea, the Portuguese future can also be used to indicate:

a)   uncertainty, probability;

> ... **ela terá uns quarenta anos.**
> **Dirá muito, mas faz pouco. (Pode dizer muito, mas faz pouco.)**

b)   to translate the English 'I wonder if ...';

> **Será que ela vem hoje?**

c)   to express an order or advice, a courteous way of conveying obligation in place of the imperative;

> **Honrarás teus pais.**
> **Dirás sempre a verdade, para que eu confie em ti.**
> **A senhora deverá preencher um formulário.**

8.2: Indicative compound future

The English equivalent of the indicative future perfect is, of course, 'I shall have (done)':

> **Quando você sair do escritório, já eu terei partido.**

8.3: Pronomial future

This is the future tense which you split after the '**r**', in order to insert your object pronoun or reflexive pronoun, completing it with the respective ending. For example:

falarei (*I shall speak*)	**Falar-te-ei** *I shall speak to you.*
ele dará (*he will give*)	**Ele dar-me-á uma prenda.** *He will give me a present.*
ela irá (*she will go*)	**Ela ir-se-á embora.** *She will go away.* (reflexive)
eles levantarão (*they'll get up*)	**Eles levantar-se-ão amanhã às cinco horas.** *They will get up tomorrow at 5 o'clock.* (reflexive)

When you need to insert the direct object pronouns (**o, a, os, as**) then you have to remove the '**r**' from the verbal form and add '**l**' to the object pronoun, in accordance with the rules concerning object pronouns (explained in Hugo's *Portuguese in 3 Months*). Don't forget to put a circumflex accent over the final '**e**' or '**o**' and an acute accent over the '**a**' to compensate for the loss of the '**r**':

verei + o = vê-lo-ei	*I shall see him* (or *you*, masculine)
porei a mesa = pô-la-ei	*I shall set it / lay it* (the table)
ela amará o jovem = **ela amá-lo-á**	*she will love him* (the young man)

8.4: Irregular future

As you know, there are only three irregular futures:
fazer – farei; trazer – trarei; dizer – direi.

far-lhe-ei esse favor	*I shall do that favour for him* (indirect)
fá-lo-ei	*I shall do it* (direct)
dir-lhe-ei	*I shall tell him / her / you* (or ... *tell it to him / her / you*)
di-lo-ei	*I shall say it*
trar-te-ei bolos	*I shall bring you cakes* (or ... *bring cakes for you*)
trá-los-ei	*I shall bring them*

In the negative, the object and reflexive pronouns precede the verb. This is also the preferred form in Brazil, in both affirmative and negative.

> **Não lhe direi nada.**
> **Não o verei.**

8.5: Future with 'haver de' + infinitive

This form indicates a strong intention or obligation to perform some action in the vague future. In this case, **haver** is conjugated in the present tense. For example:

Hei-de ir a Roma.   *I will go to Rome.*
Tu hás-de dizer-me   *You will tell me*
  o que se passou.   *what happened.*

8.6: Future with 'ir' + infinitive of another verb

Known as the 'futuro coloquial' or 'forma perifrástica', this is the form most commonly used in all the Portuguese-speaking countries.

Vou comprar os bilhetes.
I am going to buy the tickets.

Exercício 2
Complete com as formas verbais correctas:

1 Amanhã, eu [falar] contigo.
2 [ser] que ela vai casar-se?
3 Nós [dizer, *a ti*] tudo na devida altura.
4 Eles [comprar] na próxima semana. (colloquial)
5 Eles não te [fazer] nenhum favor.
6 Nós [visitar, *a*] quando formos ao Brasil.
7 [Fazer] tudo o que eu puder.
8 Eu [haver-de] ir a minha casa.
9 Eles [fazer, *o*] com todo o gosto.
10 Nós [dar, *lhe*] a nossa opinião.

Pausa – um jogo!

Let your grey cells rest now, or be stimulated, with this enjoyable puzzle which goes by the popular name of **quebra-cabeças** in Portuguese. After you've completed it, check your answers in the Key to Exercises.

Exercício 3
Qual delas é a resposta correcta?

1 Como se chama a área natural em que vive um animal?
(a) refúgio; (b) habitat; (c) lar.

2 Qual é o animal terrestre de corrida mais rápida?
(a) a lebre; (b) o cavalo; (c) a chita.

3 Qual foi o navegador que descobriu o Brasil?
(a) Vasco da Gama; (b) Pedro Álvares Cabral; (c) Gaspar Corte-Real.

4 Como se denomina um cientista que se dedica ao estudo das abelhas?
(a) odontotécnico; (b) apicultor; (c) arqueólogo.

5 Em que ano foi implantada a república de Portugal?
(a) 1910; (b) 1890; (c) 1928.

6 Qual é a unidade monetária de Angola?
(a) escudo; (b) quanza; (c) pataca.

7 Quem era Josefa de Óbidos?
(a) escritora; (b) cientista; (c) pintora.

8 Quem ganhou o Prémio Nobel de Medicina em 1949?
(a) Freitas Branco; (b) Egas Moniz; (c) Teófilo Braga.

9 Quem é Carlos Lopes?
(a) cantor; (b) atleta; (c) pintor.

10 O maior e mais conhecido futebolista português foi ...?
(a) Diamantino; (b) Torres; (c) Eusébio.

11 Garcia de Orta foi um ilustre médico e botânico, precursor da medicina preventiva. Em que século?
(a) XX; (b) XVIII; (c) XVI.

12 O estilo arquitectónico manuelino donde vem?
(a) de Florença; (b) do Brasil; (c) de Portugal.

13 O que é a Revolução dos Cravos?
(a) revolução no mercado de flores; (b) revolução portuguesa de 1974; (c) revolução de Brasil.

14 Onde fica a ponte Vasco da Gama?
(a) em Lisboa; (b) Ponta Delgada; (c) Porto.

15 De quantas ilhas consiste o arquipélago dos Açores?
(a) cinco; (b) nove; (c) sete.

16 Quantos são os países de língua oficial portuguesa?
(a) três; (b) cinco; (c) sete.

17 Em que ano deu Portugal a independência ao Brasil?
(a) em 1820; (b) 1890; (c) 1822.

8.7: Future subjunctive

This expresses a probability in the future, when it is preceded by:
quando; se; assim que, logo que; enquanto *(while, as long as)*;
enquanto não *(until)*; **quem; onde; o que, que; aquele que;**
como; quanto. Here are some examples:

> **como quiser** *as you like (it);* **o que quiser** *whatever you like;*
> **se quiser** *if you like;* **onde quiser** *wherever you like*
>
> **Quando eu o vir ...**
> *When I see him ...*
>
> **Vou onde houver sol e sossego.**
> *I shall go wherever there is sun and quiet.*
>
> **Assim que ele chegar a Maputo, ele vai procurar uma casa**
> **para nós.**
> *As soon as he arrives in Maputo, he's going to look for a house for us.*
>
> **Enquanto ele não souber poupar, ele não terá dinheiro.**
> *Until he learns how to save, he'll not have any money.*
>
> **Aquele que for o melhor aluno, será premiado com um livro**
> **sobre teologia.**
> *Whoever's the best student will be given a book on theology.*
>
> **Compra aquilo que preferires.**
> *Buy whatever you prefer.*
>
> **Quanto possível for.**
> *As much as possible.*

8.7a: How to form the future subjunctive

Formation of the future subjunctive in regular verbs follows this pattern:
cantar; cantares; cantar; cantarmos; (cantardes); cantarem.

In irregular verbs the tense is based on the 1st person singular of the
past definite (or preterite). Take **ter** for example, where *I had* is **(eu) tive**:
tiver; tiveres; tiver; tivermos; (tiverdes); tiverem.

However, note three exceptions:

- **ser / ir:**   past definite = **fui**
  <u>but</u> fut. subj. = **for; fores; for; formos; (fordes); forem.**

- **dar:**   past definite = **dei**
  <u>but</u> fut. subj. = **der; deres; der; dermos; (derdes); derem.**

- **vir:**   past definite = **vim**
  <u>but</u> fut. subj. = **vier; vieres; vier; viermos; (vierdes); vierem.**

8.8: Future perfect subjunctive

This tense, also known as the compound future subjunctive (or 'perfeito do conjuntivo' in Portuguese), is formed with the future subjunctive of **ter** (or **haver**) plus the past participle of the main verb, preceded by the conjunctions given above in section 8.7:

> **Quando ele tiver feito o trabalho, pode ir brincar.**
> *When he has done (will have done) this work, he may go and play.*

> **Se ele lhe tiver dito a verdade, não haverá mais problemas.**
> *If he has told (will have told) him the truth, there will not be any problems.*

Exercício 4
Traduza para português:

1 I shall go to Japan when I have money.
2 If you go to Madeira, bring me a bunch of its exotic flowers.
3 As soon as we find a house, we shall get married.
4 Buy whatever you like.
5 While (As long as) the bodyguards are with her, all will be well.
6 I buy food wherever it is cheaper.
7 When he will have finished his project, we shall go on holiday.
8 I shall love him for ever.
9 They will not tell us who won the motor [car] race.
10 I wonder if she is lying?

8.9: Expressions using the present and future subjunctive of the same verb

There are a number of set expressions in which the present subjunctive of a verb is followed by its future subjunctive. (Remember that the present subjunctive is used for polite orders and negative commands, where no true imperative exists and in place of the obsolete plural 'you' imperative, **vós**.)

Aconteça o que acontecer ...	*Whatever happens ...*
Haja o que houver ...	*Whatever happens ... /*
	Whatever there is ...
Seja quem for ...	*Whoever may be ...*
Seja como for ...	*Be as it may ...*
Estejas onde estiveres ...	*Wherever you may be ...*
Faça como fizer ...	*Whichever way you do ...*
Venha quando vier ...	*Whenever he comes ...*

Many other permutations are possible, using this structure.

Exercício 5
Complete com o futuro do conjuntivo:

1 Seja como ____, hei-de ganhar o concurso.
2 Aconteça o que ____ estejas onde ____, eu nunca me esquecerei de ti.
3 Digam o que ____, eu não acredito.
4 Seja quem ____ ao telefone, diz-lhe que não estou.
5 Faça como ____ para mim está tudo bem.
6 Cheguem quando ____, vamos esperá-los ao aeroporto.
7 Estejamos onde ____ lembrar-nos-emos sempre de você.
8 Tenham o que ____, eles sempre repartem conosco.
9 Venha quando ____, será sempre um prazer para nós.
10 Traga quem ____, será sempre bem recebida.

N.B. If after **onde**, **quem** etc. you put **quer que**, you will be using the present subjunctive:

> **Quem quer que seja, diga-lhe que não estou.**
> **Esteja quem quer que esteja lá, não me interessa.**
> **Vás onde quer que vás, eu seguir-te-ei.**

LEITURA (2)

Uma carta ...

Francisco Martins
240 London Road • London • SE23

Londres, 2 de Setembro de 1997

DIÁRIO DE NOTÍCIAS no. 1246/8/97

Exmos Senhores

Li, com bastante interesse, o vosso anúncio no Diário
de Notícias de 30 de Agosto de 1997, ao qual passo a
responder, esperando que eu ainda esteja a tempo de
me candidatar.

Sou britânico, de pais portugueses, e sou licenciado
em Português e Informática pela universidade de
Londres, como V. Exas. poderão ver no meu C.V., em
anexo.

Fui estagiário num banco anglo-português na França e
em Londres e actualmente, exerço as funções de
analista-programador na companhia inglesa 'Horizon',
onde trabalho há dois anos. Tenho, assim, desenvolvido
técnicas de programação, trabalhado com vários e
sofisticados computadores, assim como participado em
vários cursos de formação.

Infelizmente, a companhia decidiu reduzir o seu
pessoal, por razões do patronato. Embora, eles
estivessem muito satisfeitos com o meu trabalho, como
V. Exas. poderão averiguar, eu fui um dos despedidos
por ser um dos empregados mais recentes.

Gostaria de pôr as minhas habilitações e experiência
ao serviço de uma companhia com projectos em
desenvolvimento, num ambiente aliciante e que me
ofereça um futuro seguro. Foi sempre o meu desejo
residir em Portugal e esta oportunidade, se V. Exas.
ma derem, irá ao encontro dos meus desejos e ambição.

Estou disposto a ir a Portugal para uma entrevista
que V. Exas. me queiram conceder, em qualquer data
que vos convier.

De V. Exas.
Atentamente   Francisco Martins

N.B. You should have noticed that the indicative future and conditional, plus the present, imperfect and future subjunctive tenses, are used in this letter. Go back and look for them if you didn't!

VOCABULÁRIO

candidatar-se a	to apply for (*a job, competition, etc.*)
licenciatura	*degree equivalent to BA or BSc*
estagiário	trainee (*doing your 3rd university year abroad*)
formação	training
patronato	employers
averiguar	to check
despedido	sacked
habilitações	skills
aliciante	attractive, enticing
convir	to suit, to be convenient

9 NONA UNIDADE

Read about the history of Macau, and (at the end of the chapter) about 'Carnaval' and other traditional Portuguese festivals. Revise how to use the present participle, the personal and impersonal infinitive, and study especially the 'forma perifrástica' (vir a, vir; ir a, ir). Consider homophones and learn some more idiomatic expressions.

LEITURA & COMPREENSÃO

Macau
"Não há outra mais leal"

Quase 500 anos terão decorrido quando Macau passar para o governo chinês, em finais de Dezembro de 1999, data a partir da qual terá o nome de 'Região Aministrativa Especial de Macau' (RAEM).

Os portugueses chegaram às costas da China em 1513. Estabeleceram boas relações com os mandarins de Cantão e, mais tarde, conseguiram a autorização deles para se instalarem numa pequena península do delta do rio das Pérolas, onde eles fundaram uma povoação – 'a Povoação do Nome de Deos do Porto de Amacao na China'. Integrando-se com os moradores daquela região, eles construíram escolas, igrejas, hospitais e fortalezas; defenderam as suas costas e ajudaram a China Imperial nas suas lutas contra a piratagem que então existia nos seus mares, vencendo o pirata Cam Pao Sai em 1810. Mais tarde, a sua população iria também construir a Estação Naval, o Porto Exterior, o istmo da ilha Verde, o qual uniu o território de Macau a uma pequena ilha, um outro ligando as suas ilhas da Taipa a Coloane e muitas outras obras. No nosso século, inauguraram-se o Observatório Meteorológico (desde 1888 que a Capitania do Porto de Macau enviava informações meteorológicas a Xangai, Manila e Hongkong), duas lindas pontes, o aeroporto internacional e realizaram-se um conjunto ambicioso de projectos infra-estruturais.

Nos séculos XVI e XVII Macau foi um porto importante e um grande centro de comércio de especiarias, prata, sedas e perfumes no Oriente, aproximando povos de uns países a outros. Apesar do seu desenvolvimento, da sua próspera economia e dos serviços que prestava a outros, a sua importância iria ser ofuscada por Hongkong no século XX.

Contudo, a sua existência e resistência a crises internas e ameaças externas merecem a admiração de todos; a sua diplomacia e as boas relações com os outros países daquela zona, apesar de várias tribulações globais através dos séculos, continua a ser um exemplo para o mundo. É surpreendente que um pequeno território de uma dezena de quilómetros quadrados com uma bandeira portuguesa tenha convivido em harmonia com um império, junto à sua porta, de dez milhões de quilómetros quadrados.

Entre 1580 e 1640, quando Portugal estava temporariamente sob o jugo dos Filipes por razões de herança, a cidade de Macau não deixou de hastear a bandeira portuguesa pelo que D. João IV desejou que a expressão 'não há outra mais leal' lhe servisse de lema.

Macau, nestes últimos anos, vem gozando de um crescimento económico invejável, pronto a fazer frente à concorrência. Segundo um historiador chinês, que foi citado pelo professor e escritor C. R. Boxer, 'a ascenção de Macau é um milagre na moderna história da Ásia Oriental'.*

Os diálogos e os acordos entre a China e Portugal têm também sido conduzidos com tacto e cortesia como manda a educação de dois velhos países conhecidos pelas suas boas maneiras, a sua atitude filosófica, paciência e respeito por outras nações.

Portugal foi o primeiro país europeu no Oriente – nunca se deu o nome de 'império português' – e será também o último a sair da Ásia.

O futuro

* A RAEM será um governo próprio e definirá a sua política sobre cultura, educação, tecnologia bem como a sua orientação orçamental e fiscal, mantendo-se a circulação da pataca.

* No âmbito económico e cultural poderá manter e desenvolver as suas relações e celebrar acordos com outros países.

- Manter-se-ão inalterados os actuais sistemas social e económico e a sua maneira de viver durante os próximos 50 anos.

- O Governo Central não vai arrecadar impostos a Macau.

- A RAEM será responsável pela manutenção da ordem pública.

[*Referência da citação: 'O grande Navio de Amacau', por Charles R. Boxer]

VOCABULÁRIO

ofuscada	overshadowed
ameaças	threats
conviver	to live together
jugo	yoke
hastear	to hoist
lema	motto
invejável	enviable
fazer frente a	to face, to take on
pataca	Macau's currency
celebrar acordos	to sign / conclude agreements

Saint Paul's Ruins, Macau

Exercício 1
Compreensão:

1 Em 1999 quanto tempo terá decorrido desde que os portugueses chegaram à China?

2 Onde está situado Macau e como se chamava a povoação que fundaram então?

3 Quais foram as obras realizadas ao longo dos séculos?

4 Como descreve as relações entre os habitantes de Macau e a China Imperial? E as relações entre Macau e outros países vizinhos?

5 Além da península de Macau, que outras ilhas tem o território macaense?

6 Enumere alguns projectos de desenvolvimento que têm sido levados a cabo no nosso século.

7 Em que séculos foi Macau um grande centro de comércio e em que negociava?

8 Que outra acção benéfica, além do comércio?

9 Por que motivos Macau merece a nossa admiração?

10 A que atribui a sua existência pacífica, junto da grande China?

11 Que lema tem Macau, e porquê?

12 Que disse o historiador contemporâneo chinês?

13 Como decorreram os acordos e os diálogos entre Portugal e a China quanto à transferência do poder?

14 Descreva, em poucas palavras, o futuro de Macau como previsto agora.

Expressões idiomáticas

In the following selection, the idiomatic expressions have been highlighted and given in their English equivalents; it will be a useful (but easy) extra exercise for you to complete the translations.

Ela limpou a cozinha **num abrir e fechar de olhos.**
… *in the twinkle of an eye.*

Eles lutaram com **unhas e dentes.**
… *tooth and nail.*

Ela já está a **deitar foguetes antes da festa.**
… *counting her chickens before they're hatched.*

A casa **estava à cunha.**
… *was packed, full.*

O teatro **estava às moscas.**
… *was empty.* (= no customers)

Ela contou-me tudo tão depressa que eu **perdi o fio à meada.**
… *lost the thread of the conversation.*

Fui a casa da Maria mas **dei com o nariz na porta.**
… *she wasn't there.*

O Manuel é muito **senhor do seu nariz.**
… *obstinate / wilful.*

Não meta o nariz onde não é chamado!
Don't poke your nose in matters which don't concern you!

Coitada da moça estava **a tremer como varas verdes.**
… *shaking like a leaf.*

O meu negócio **vai de vento em popa.**
… *from strength to strength.*

As conversas ficaram **em águas de bacalhau.**
… *came to nothing.*

GRAMÁTICA & PRÁTICA

9.1: Atenção à escrita!

Mind the spelling! Homophones (**homófonos** in Portuguese) are words which sound identical but are spelt differently and have different meanings – such as 'hair' and 'hare' in English. The next exercise illustrates these.

Exercício 2
Qual delas é a palavra correcta? Complete!

1 Ela esqueceu-se de pôr o _____ agudo. [assento *ou* acento?]
2 A rapariga está sempre a __ os cães. [açular *ou* assolar?]
3 Nós fomos a um _____. [conserto *ou* concerto?]
4 Já limpaste a _____ do meu cavalo? [sela *ou* cela?]
5 Ela pediu o meu _____. [concelho *ou* conselho?]
6 Ela tem uma letra _____. [ilegível *ou* elegível?]
7 A minha casa está coberta de _____. [era *ou* hera?]
8 Houve um acidente na _____. [cerração *ou* serração?]
9 Ele falou comigo _____ cinco minutos. [há *ou* à?]
10 O _____ não reparou nos semáforos. [pião *ou* peão?]
11 Ela não tem nenhum _____. [censo *ou* senso?]
12 Eu não vou _____ ti. [cem *ou* sem?]
13 Ele passou um _____ sem cobertura. [cheque *ou* xeque?]
14 Ela levava um vestido lindo de _____. [cassa *ou* caça?]
15 Ele estava escondido atrás de um _____. [buxo *ou* bucho?]

9.2: 'Vir a' / 'ir a' + infinitive (forma perifrástica)

This construction is used to express ideas following an action, or the final result of an action. For example:

Eu vim a saber a verdade.
I came to know the truth.

Ela veio a ser uma grande mulher.
She became a great woman.

Tem vindo a sentir-se um descontentamento contra o governo.
There has been / One has been feeling some dissatisfaction against the government.

Os preços têm vindo a aumentar nestes últimos anos.
Prices have been increasing in these last few years (of late).

• *'vir' + present participle*
The point to note here is that **vir** can be used with the present participle of another verb, instead of **estar**:

Vinha amanhecendo quando abri a janela.
Dawn was breaking when I opened the window.

Eles vinham andando.
They were coming (towards the speaker).

Há dois meses que ele vem discutindo o tempo.
He has been discussing the weather these two months / for the last two months.

• *ir, ir a*
The following examples illustrate the periphrastic (and idiomatic) usage:

Ia a falar quando …
I was about to speak when …

Ia amanhecendo quando cheguei lá.
Dawn was breaking when I arrived there.

Íamos quase morrendo.
We nearly died.

Vamos andando.
Time to go. Let's go. We're fine.

9.3: Present participle or gerund

This, of course, you will recognise (**falando, fazendo, pondo, partindo**, etc.). The gerund has a more restricted use than in English – for example, it cannot be used as a noun. It is employed

a)   to replace '**e**' or '**com**' especially in a continuous action, when the subject of the subordinate clause is the same as that of the main clause:

Ele partiu, acenando com o lenço. (e acenava)
O lavrador continuava a trabalhar, lavrando, semeando.
A mulher ouvia as graças dele rindo. (com riso)

b)   to translate the English 'on' + present participle, when it may or may not be preceded by '**em**':

Chegando / Em chegando o Natal, parto logo para férias.
On arriving / When Christmas comes, I go on holiday straight away.

Pensando bem, acho melhor não aceitarmos o contracto.
On second thoughts, I believe it is better we don't accept the contract.

c)   with **estar, andar, vir, ir** to form the present continuous tense, more commonly used in Brazil (**estou comendo**) than in Portugal where **estou a comer** (*I am eating*) is preferred.

N.B. After prepositions (i.e. *without eating*) you don't use the gerund. Instead, the infinitive is used (**sem comer**).

Exercício 3
Translate into Portuguese:

1 The world will be able to become a better place.
2 I was about to tell you.
3 The police were going from door to door, asking questions.
4 Night was falling when we arrived there.
5 The baby laughed, clapping hands.
6 The accountant continued with his work, checking accounts, revising, without speaking to anyone.
7 That being the case [being so], I accept your invitation.
8 Picking up the knife, she began to cut the meat.
9 She looked at him, feeling cold shivers.
10 We are rehearsing just now.

VOCABULÁRIO

bater palmas / palminhas	to clap hands
verificar as contas	to check accounts
arrepios de frio	cold shivers
ensaiar	to rehearse

9.4: Infinitive

The English gerund or present participle ('-ing') is otherwise translated

a) as a noun:
the painting, **a pintura.**

b) by the Portuguese infinitive:
No smoking, **É proibido fumar.**

c) after **'para'** when it expresses an objective or finality:

As canetas são para escrever.
Pens are for writing.

d)   the infinitive is also used to translate the English imperative when you don't address anyone in particular, or to give orders in general, as in the army:

Não fazer barulho.
Don't make any noise.

Marchar!
March!

9.5: Personal infinitive

We shall now revise this infinitive, which has been explained in Hugo's *Portuguese in Three Months*. As you know, in Portuguese there are two infinitives: the impersonal, and the personal (inflected) infinitive. The inflected infinitive indicates the number of persons involved behind that infinitive, by means of personal endings added to the impersonal (usual) infinitive. It is very easy to conjugate, since it is always regular whether the verb is regular or not.

eu	**falar, dar, ter, partir, ser, pôr**
tu	**falares, dares, teres, partires, seres, pores**
ele/você	**falar, dar, ter, partir, ser, pôr**
nós	**falarmos, darmos, termos, partirmos, sermos, pormos**
(vós)	**(falardes), (dardes), (terdes), (partirdes), (serdes), (pordes)**
eles/vocês	**falarem, darem, terem, partirem, serem, porem**

Note that the endings of the personal infinitive are the same as those of the future subjunctive of <u>regular</u> verbs.

The personal infinitive clarifies speech and simplifies grammar as it can replace the more complex subjunctive in some of its rules:

a)   in the clauses preceded by verbs expressing emotion;
b)   when the subject is undefined (impersonal clauses);

c)   after some conjunctions:

In the conjunctions **para que, sem que** etc., which go with the subjunctive, remove **que**; and in **antes que** replace **que** with **de**:

> **Agrada-me eles virem amanhã.**
> > (Subj.: **Agrada-me que eles venham amanhã**.)
>
> **É preferível fazeres o trabalho hoje.**
> > (Subj.: **É preferível que tu faças o trabalho hoje**.)
>
> **Falei com o António antes deles partirem.**
> > (Subj.: **Falei com o António antes que eles partissem**.)

d)   It is also used to translate 'on doing something' (instead of 'when' + past tenses or future subjunctive). In this case, don't use any subject pronoun after **ao** + personal infinitive:

> **Ao chegarmos lá, vi logo que ele estava preocupado.**
> *When we arrived there, I realized at once he was worried.*

e)   When we want to stress the subject of the infinitive or convey some sarcasm, incredulity. Much depends on the tone of the voice. For example:

> **Nós, trabalharmos para ti?**
> *We, work for you? (You expect us to work for you?)*

f)   Causal clauses, replacing **porque** and **por causa de**:

> **Ela zangou-se comigo por chegarmos tarde.**

g)   The personal infinitive may also replace the future subjunctive which is preceded by **se** in conditional clauses, in which case it must be preceded by the preposition **a**. This form is more used in speech than in written language:

> **A estudares assim, vais ficar maluca.**
> > (future subj: **Se estudares assim, vais ficar maluca**.)

Exercício 4

Complete com os verbos na margem direita.

1 É bom vocês ____ com os vossos sócios. [falar]
2 Disse-lhe adeus antes deles ____. [partir]
3 Fomos para a cama por ____ cansados. [estar]
4 Vocês, ____ a taça mundial? [ganhar]
5 Surpreende-me tu ____ uma coisa dessas. [dizer]
6 Acho melhor eles não ____. [vir]
7 A ____ tão pouco, vais ficar doente. [comer]
8 Entrei sem eles me ____. [ver]
9 Ao ____ (nós) vimos logo que ele não estava só. [entrar]
10 É proibido ____ no chão. [cuspir]
11 Tu finges não ____ como eu me sinto. [ver]
12 Você pode convencê-lo a ____ desse processo. [desistir]
13 As tuas palavras feriram-nos demais para ____ perdoar-te. [poder]
14 Antes de (nós) ____ ter com o teu pai, telefonamos--lhe. [ir]
15 Peço que esperes até (eles) se ____ de nos contactar. [lembrar]

LEITURA (2)

As festas tradicionais em Portugal e no Brasil

Carnaval

Há séculos que se festeja o Carnaval em Portugal. Embora tenha origens cristãs, pois o entrudo marca o fim da Quaresma e do jejum o qual era praticado, hoje em dia não é mais que uma folia, uma oportunidade para o povo dar largas à sua alegria e folgança.

Dança-se e canta-se pelas ruas, especialmente no Algarve e há bailes de máscaras até altas horas da noite.

Os portugueses levaram o Carnaval a outros países, mas foi no Brasil que este se tornou num verdadeiro evento internacional.

Durante um ano inteiro, os cariocas e baianos se preparam para esta festa que, cada vez, é mais espampanante e deslumbrante.

"Vem o Carnaval! Vem aí o Carnaval!" E todo o mundo se esquece das favelas, do desemprego, da pobreza e outros achaques da vida para se entregar de corpo e alma, deixando as inibições em casa, a este delírio. E o mundo aprende com os brasileiros a divertir-se.

Os Santos Populares

As Festas de Santo (Sto.) António, de São (S.) João e de São (S.) Pedro, mais pagãs do que religiosas, são celebradas desde há muito por todo o país, mas com mais destaque em Lisboa, no Porto, no Algarve, na Madeira e nos Açores.

Em Lisboa, a festa do Sto. António, seu padroeiro, rivaliza com a do Carnaval. Além dos indispensáveis comes e bebes, fogueiras e bailaricos, há os desfiles conhecidos por 'marchas', pela cidade na noite de 12 de Junho e mais festa no dia seguinte.

Festa das Cruzes, Barcelos

Os bairros estão enfeitados com flores, balões e candeias ou lanternas. Nos parapeitos das janelas vêem-se os tradicionais mangericos. Muitos destes, com cravos encarnados, foram oferecidos às moças pelos aspirantes às suas afeições, pois Sto. António é casamenteiro e protector das solteiras.

"Lá vai Lisboa!" E os representantes dos bairros antigos dançam e cantam as 'marchas' de Lisboa, enaltecendo-a. Ninguém dorme esta noite. A alegria e os foguetes reinam por toda a cidade e por todo o país. Amanhã, haverá o concurso. Quem ganhará o prémio da melhor canção, da melhor apresentação, traje e, finalmente, do melhor bairro?

Na noite 23 e dia 24 de Junho é a vez de São João, protector das casadas, ser festejado e o Porto não fica atrás de Lisboa com as suas festas e folguedo.

A 28 e 29 do mesmo mês realizam-se as festas do São Pedro, o protector das viúvas, principalmente em Évora, a linda cidade do Alentejo.

Então podemos dizer que todo o mês de Junho é uma festa pegada em todo Portugal.

No Brasil, estes santos também são festejados, principalmente nas escolas entre jovens, quando praticam mais ou menos as mesmas brincadeiras que em Portugal, como saltar as fogueiras. A estas festas os brasileiros dão o nome de Juninas.

O Natal, como em qualquer outro país cristão, é mais uma festa de família e amigos íntimos. A véspera do Natal é mais importante. É a noite da consoada quando, por tradição, se come bacalhau. Depois da missa do Galo, comem-se bolos e doces tradicionais, entre eles 'filhós', 'sonhos' e 'broas'.

Na chaminé, vêem-se sapatos de todos os tamanhos, desde o do bébé ao do chefe da família, à espera que o Menino Jesus lhes traga os presentes desejados. O dia 25 celebra-se à semelhança de outros países europeus, com o 'sacrifício' do perú.

Ao contrário do Natal, o Ano Novo é 'público'. É uma festa de todos e para todos. A paródia é tanto em casa como nas ruas. Em todos os países falantes de português a noite do Ano Novo é celebrada com uma alegria estonteante e um barulho ensurdecedor. Ao aproximar-se a meia-noite os sinos começam a repicar alegremente a que se lhes juntam as buzinas dos automóveis e as sirenas dos barcos nos portos. Ouvem-se o bater das tampas das panelas e apitos.

O ano velho morre. Viva o Ano Novo! E com ele nascem as esperanças de sempre. A amizade e boa vontade reinam por toda a parte. Abraçam--se estranhos. A inveja, mesquinhez, maldade, desconfiança, disparidades de classe social estão ausentes na noite de 31 de Dezembro.

VOCABULÁRIO

entrudo	Carnival
Quaresma	Lent
jejum	fasting
folia	merrymaking
dar largas a	to give free rein to; to let go
folgança	frolic
espampanante	showy, loud
deslumbrante	dazzling
achaques	ailments
comes e bebes	eating and drinking
fogueira	bonfire
bailaricos	popular dances *(usually in the streets)*
desfiles	parades
parapeito da janela	window-sill
mangerico	wild basil, *grown in pots for its aroma*
casamenteiro	matchmaker
enaltecer	to exalt, to praise
foguetes	firecrackers, fireworks
folguedo	revelry, fun
festa pegada	all-around fun
missa do Galo	midnight mass
estonteante	intoxicating, dazzling
ensurdecedor	deafening
sirenas	sirens
tampas das panelas	saucepan lids
apitos	whistles

10 DÉCIMA UNIDADE

In this final chapter we read two extracts concerning the environment, and we play another short word-game before revising the use of certain adverbs and conjunctions. Other topics of grammar include 'if'-clauses, indirect speech and the passive voice.

LEITURA & COMPREENSÃO

Natura 2000 suscita reacção de norte a sul

A publicação no DN do projecto de transposição da directiva "habitats" e da lista dos locais elegíveis está a provocar polémica entre posições radicais.

AS REACÇÕES ao anúncio dos locais que fazem parte da Rede Natura 2000 choveram, ontem, de todos os lados, num momento em que o próprio Ministério da Agricultura faz atrasar a apresentação pública devido a discordâncias com o Ministério do Ambiente.

"Lamentamos que todo o processo da Rede Natura 2000 tenha sido conduzido à margem dos agricultores. Não podemos fazer grandes comentários sobre uma coisa que soubemos através do jornal, apesar de termos pedido insistentemente informação à senhora ministra", disse Maria Luísa Fino, da CAP (Confederação dos Agricultores de Portugal), acerca do projecto de decreto-lei de transposição da Directiva Habitats. No entanto, mostrou-se satisfeita de ter visto cumprida a promessa da ministra de "reduzir de 25 para 12 por centro a área dos locais propostos". "Nós ñao somos contra a Rede Natura, mas sim como o processo foi conduzido. Não é possível fazer uma política de ambiente correcta sem os agricultores", vincou Luísa Fino.

O GEOTA entende que a transposição da directiva é "essencial e já deveria ter sido feita. Um atraso que vem desde 1994. Interessa agora que a nomeação não fique no papel e que na segunda fase se cuidem de sítios que nos foram apontados como muito interessantes sob o ponto de vista de preservação da natureza. Para os que ficaram de fora – agora – é necessário estabelecer medidas cautelares. E para os que foram eleitos, antes de haver planos de ordenamento, pois poderão sair do mapa, por opções que não levam em conta o ambiente", disse Conceição Martins.

A Associação de Desenvolvimento Florestal de Setúbal, através do seu vice-presidente, Delgado Fonseca, insurge-se contra o diploma, pois entende que se estabelece uma excessiva competência do ambiente sobre a propriedade privada. Alertaram já o Ministério da Agricultura e o das Obras Públicas para o facto que "de futuro, não poderão fazer uma auto-estrada sem autorização do GEOTA". Acrescentou que ñao é crível que a Direcção-Geral das Florestas não soubesse até há dois dias do teor do diploma. Por seu lado, Francisco Ferreira, da Quercus, disse que "a lista é minimalista e deveria ter sido do conhecimento das associações ambientalistas antes de ir a Conselho de Ministros. É preciso de uma vez para sempre determinar que o inimigo público número um do ambiente é a agricultura tal como ela é actualmente e que a sua pressão sobre o Ministério do Ambiente foi suficiente para reduzir a lista. Por outro lado, grande parte dos locais da lista agora apresentada já eram áreas protegidas. Seja como for, é preciso que num breve espaço sejam elaboradas medidas cautelares para a defesa dos locais apontados e que a lista completa seja elaborada em breve." ■

123

Mist in an Amazonian rainforest

VOCABULÁRIO

suscitar	to provoke
vincar	(*here*) to stress;
	(*otherwise:* to press / crease trousers)
cuidar de	to take care of, to deal with
insurgir-se	to be against, to rebel
diploma	(*here*) paper, document from the State
	(*otherwise:* diploma)
de uma vez para sempre	once and for all

GEOTA stands for **Grupo de Estudos do Ordenamento do Território do Ambiente**.

N.B. Note how many times the subjunctive – present, past and future, plus their compound forms – have been used in this text.

Exercício 1
Compreensão do texto:

1 Do que fala este artigo?
2 Porque fez o Ministério da Agricultura atrasar a apresentação pública?
3 Discuta as discordâncias.
4 Maria Luísa mostrou-se satisfeita, porquê?
5 O que está em causa, segundo Luísa Fino?
6 Que disse a GEOTA?
7 Qual a razão por que a Associação de D. F. de Setúbal está contra o diploma?
8 O Ministério da Agricultura e o das Obras Públicas foram alertados para que facto?
9 O que é incrível?
10 Qual é o inimigo número um do ambiente, segundo este artigo? Desenvolva.

Um jogo de palavras – sinónimos

As you know, synonyms are words which are different but share the same meaning.

Exercício 2
Qual é a palavra irmã entre as três grifadas?

1	Farda	farnel, farta, uniforme
2	Pedinte	mendigo, peão, esmola
3	Folgança	loucura, folga, folguedo
4	Custoso	difícil, caro, acessível
5	Comezana	campanha, banquete, patuscada
6	Chávena	xícara, taça, caneca
7	Cometer	perpetrar, fazer, meter
8	Pecuária	gado, perda, pesca
9	Peçonha	vergonha, veneno, pechincha
10	Graúdo	graduado, igual, grande

Gramática & Prática

10.1: More adverbs and conjunctions

The following are known to you in their simple, ordinary use. Here are
further ways in which these adverbs and conjunctions can be used.

sempre	depois	já, já que
já agora	já não	logo
logo que	daí	sequer, nem sequer
senão	mal	apenas

A Maria chegou dias depois.
Mary arrived a few days later.

E depois, gostamos um do outro.
And in any case, we like each other.

Sempre gostava de saber o que é que ela faz!
I would love to know what she does.

Sempre vais a Paris?
Are you finally / still going to Paris?

Amo-te para sempre.
I shall love you for ever.

Já não quero mais conversas.
I don't want any more talks / talking.

Eu trago já as chaves.
I am bringing the keys (straight away).

A Milú já me tinha contado esse caso.
Milú had already told me about the case.

Já que a sorte a trouxe aqui …
Since Luck has brought you here …

Já agora, traz-me um pacote de manteiga.
While you're there / at it, bring me one packet of butter.

Falo contigo mais logo.
I shall speak to you later.

Ela foi logo fazê-lo.
She went to do it straight away.

Não houve provas. Logo, ele foi perdoado.
There was no evidence. Therefore / consequently he was forgiven.

E daí?
And so? / What of it?

E daí o enigma.
Hence the enigma.

Eu nem sequer o vi. (or: **Eu nem o vi sequer.**)
I didn't even see him.

Ele mal me falou.
He hardly spoke to me.

Estou aqui apenas por dois dias.
I am here only for two days.

Não grites senão saio de casa.
Don't shout or (else) I'll leave.

Exercício 3
Complete com os advérbios, conjunções acima dadas e formas verbais:

1 Vejo-te mais ____
2 ____ conseguiste o tal emprego?
3 Ela vai ____ para Cascais passar as férias.
4 Sonho, ____ existo.
5 Ele foi ____ telefonar à mãe.
6 E ____ que não acreditas nele, não vou dizer mais nada.
7 Eu vou ____ fazer isso, não vou demorar mais.
8 ____ ____ levo este embrulho também.
9 E ____ as conclusões que tirámos.
10 ____ não o amas?
11 Estou aqui ____ em negócios.
12 Eu ____ podia conter o meu riso.
13 ____ escreveste à tua sogra?
14 A Rosa ____ ____ me agradeceu.
15 Limpa o teu quarto! ____ vais para a rua.

10.2: Se

We now revise the 'if' clause and the various faces of **se**:

a)	Reflexive pronoun	**ele levanta-se**
b)	Indefinite pronoun	**aqui canta-se o fado**
c)	When the action is reciprocal	**as irmãs beijaram-se**
d)	Future subjunctive	**se ele for ao cinema**
e)	Imperfect subjunctive	**se ele fosse rico**
f)	Exclamative adverb	**se gosto!**

Remember that when **se** means 'whether' or the sentence refers to an actual fact, then you don't use the subjunctive:

> **Não sei se ele vem hoje.**
> **Se perdes dinheiro no jogo é porque queres.**
> **Se não te casaste com ela, foi a tua culpa.**

Exercício 4
Complete com as formas verbais apropriadas:

1 Se _____ pouco, emagreces. [comer]
2 Se tu _____ nomeado, manda-me dizer. [ser]
3 Se eu _____ a ti, não dizia nada a eles. [ser]
4 Ainda queres ir comigo ao teatro? —Se _____. [querer]
5 _____-se à boca pequena que o ministro é um vigarista. [dizer]
ó Ontem, ela _____ muito cedo. [levantar-se]
7 Se eles _____ _____ alguma coisa, isto nunca teria acontecido. [ter, dizer]
8 Se nós _____ _____ todo o trabalho antes das férias, iremos lá. [ter, fazer]
9 Os namorados _____ *[pres.]* ardentemente. [beijar]
10 Se ele _____ _____, eu teria feito um jantar especial. [ter, vir]

10.3: Antonyms

An antonym, as you should know, is a word with the opposite meaning to another (*good* and *bad*, for example). Here is an exercise to test your Portuguese vocabulary … don't worry about the antonym making nonsense of the original sentence!

Exercício 5
Qual é o contrário das palavras grifadas?

1 *Ela espera* obter o emprego.
2 A Manuela é uma pessoa *simpática*.
3 Lisboa foi *reconstruída* em 1755.
4 Portugal tem a taxa de emprego mais *baixa* na Europa.
5 Eu *adoro* o inverno.
6 O tempo está *óptimo*.
7 Camões *nasceu* em 1580.
8 *Eu perdi a* minha bolsa.
9 Ela *perdeu* a minha confiança.
10 Os bancos estão *encerrados* aos sábados.
11 O António é muito *mandrião*.
12 Esta firma é *vigarista*.
13 *Repudiamos* a sua oferta.
14 Dou-me *bem* no Algarve.
15 Ela ficou *aprovada* no exame.

10.4: Indirect speech

The examples that follow will demonstrate how indirect (or reported) speech is expressed:

Discurso Directo: **"Onde vais?" "Vou ao mercado."**
Discurso Indirecto: **Ele respondeu que ia ao mercado.**

Discurso Directo: **"Põe a mesa!"**
Discurso Indirecto: **Ele disse que pusesses a mesa.**

10.5: The passive voice

First, study these sentences in which the verb switches from active to passive voice:

Voz Activa:	**Os empregados odeiam o director.**
Voz Passiva:	**O director é odiado pelos empregados.**
Voz Activa:	**Deve-se ver as coisas como são.**
Voz Passiva:	**As coisas devem ser vistas como são.**
Voz Activa:	**Eu escrevi todas as cartas.**
Voz Passiva:	**Todas as cartas foram escritas por mim.**
Voz Activa:	**Se ela fizer esse trabalho, eu aumentar-lhe-ei o salário.**
Voz Passiva:	**Se esse trabalho for feito por ela, eu aumentar-lhe-ei o salário.**

As you have seen, the passive voice employs the verb **ser** and the past participle (which agrees in gender and number, e.g. **cartas escritas**). The past participle is also variable when used with the verb **estar** (e.g. **as camas estão feitas**). It remains invariable when used with the verb **ter** in compound tenses: **Tenho feito muitas coisas** (*I have been doing many things*), which in the passive voice would be **Muitas coisas têm sido feitas por mim.**

Be aware of the double participles (consult Hugo's *Portuguese Verbs Simplified* if you have any doubts):

> **Já no ano passado, a polícia tinha <u>prendido</u> o rapaz.**
> **O rapaz tinha já sido <u>preso</u> no ano passado.**

Exercício 6

Mude para a voz passiva ou discurso indirecto, conforme for apropriado:

1. Já aprovaram o documento?
2. Se ela lhe der o dinheiro, não aceite.
3. Já paguei todas as minhas contas.
4. Eu devia ter-lhe dado a ficha.
5. Os jornais noticiaram o sinistro.
6. O Presidente da Associação pôs tudo em pratos limpos.
7. Eles não explicaram bem as directrizes.
8. Ela disse: "Não há nenhuma desculpa para tal procedimento."
9. Pedro Álvarez Cabral descobriu o Brasil em 1500.
10. Egas Moniz recebeu o Prémio Nobel de Medicina em 1949.
11. Ela respondeu: "A revolução de 1974 deu-se no dia 25 de Abril".
12. E ela continuou a dizer: "Esta revolução tem o nome de 'Revolução dos Cravos'".

A última oportunidade para salvar o planeta

Onde vai estar a Europa à entrada do século XXI? O primeiro problema que se pode colocar é que não será mais possível adiar o confronto com as mudanças globais que estão a acontecer no planeta – que foram tipificadas e discutidas na Conferência do Rio em 1992, mas em relação às quais nada se fez. Os últimos relatórios sobre mudança climática, por exemplo, apontam de forma clara que a mudança já está a acontecer, as temperaturas a subir, a distribuição da chuva a mudar. E o mesmo se passará em relação á biodiversidade.

ATÉ AGORA, a Europa fez um discurso de boas intenções mas – quer no seu próprio interior quer em relação aos países (ou regiões) terceiros, como a China, a Índia, América Latina, África – não conseguiu disponibilizar meios financeiros ou políticos que permitam evitar a mudança global do Planeta que está a acontecer.

A Europa vai ser confrontada com esta mudança climática, porque ela vai bater-lhe à porta, desde logo dentro do território. Mas vai bater-lhe à porta também pela desertificação que está a provocar no Norte de África e que (associada à explosão demográfica e à instabilidade política) vai culminar num problema sério de segurança – (aí, já não segurança ambiental mas segurança real de pessoas) a curto prazo.

Por outro lado, à entrada no novo milénio a União Europeia vai deixar de poder ignorar outros problemas de segurança – que já tem bem perto de si, a Leste. A questão ganhará uma ainda maior urgência com a provável adesão de países (e a deslocação das fronteiras da UE) com problemas ambientais que são ameaças graves para a estabilidade e segurança física das pessoas e do meio ambiente na Europa.

A verdade é que não vai ser possível continuar a adiar uma estratégia global para fazer face ao problema do nuclear na Europa do Leste. A situação é já hoje extremamente perigosa, designadamente na Bulgária, na Ucrânia, na Lituânia, na Rússia e na Arménia. Nestes países existem reactores do tipo Chernobyl óptico, ou de tecnologias antiquadas que têm o mesmo tipo de perigosidade. Um acidente do "tipo Chernobyl" pode, nestes países, acontecer a todo o momento.

Além disso, há a herança nuclear radioactiva do passado. Com a recente adesão da Finlândia, passámos a ter "cemitérios nucleares" à porta da União Europeia – como junto a Murmansk, onde coexistem submarinos nucleares afundados e quebra-gelos atracados (movidos a energia atómica e enferrujados) – verdadeiros depósitos flutuantes de resíduos nucleares que, de um momento para o outro, podem afundar-se.

Temos situações como Chlyabinski e outros centros que são autênticos depósitos de resíduos nucleares a céu aberto (sem nenhum isolamento de material radioactivo) que tem libertado (ao longo de anos) muito mais radioactividade do que a explosão de Chernobyl. E há ainda a indústria química, também responsável por uma pesada contaminação. Toda esta herança (mais a corrupção e a falta de estruturas estabilizadas de Estado e de Justiça nos países da antiga União Soviética) coloca perigos de um enorme tráfego de plutónio e de resíduos químicos. ■

[Carlos Pimenta, um Deputado ao Parlamento Europeu]

VOCABULÁRIO

adiar	to postpone
tipificadas	typified
desde logo	at once, straight away
aí	in this case
segurança	safety
perigosidade	danger
afundados	sunk
quebra-gelos	icebreakers
atracados	moored
enferrujados	rusty
a céu aberto	in the open
libertado	released

INTERVALO 2

To close this course, here are some more notes on Portuguese history and culture – dates, facts and figures – picking up from where *Intervalo 1* ended. You should have no difficulty in understanding what you read; if there is a word you don't recognize, you may find it in Hugo's *Portuguese Dictionary*.

CONHECIMENTO CULTURAL

* 1578: Desastrosa batalha em Alcácer-Quibir, Marrocos, na qual muitos portugueses perderam as suas vidas e o rei, o jovem D. Sebastião, desaparecera por entre as fileiras do inimigo. Isto deu origem ao sebastianismo, pois o povo continuou a esperar que o rei 'o Desejado' um dia voltasse.

* 1662: A Infanta D. Catarina de Bragança casa com Carlos II da Inglaterra, reatando a aliança secular entre os dois países. Além de dois milhões de cruzados, o dote da princesa incluía a cidade de Tânger e Bombaim. Outras regalias foram concedidas pelo rei de Portugal. D. Catarina introduz na Inglaterra a moda de beber chá e outros costumes.

* 1703: Tratado de Methuen entre Portugal e a Inglaterra, negociado por John Methuen. Neste tratado Portugal comprometia-se a comprar panos de lã enquanto o seu aliado obrigava-se a admitir 'para sempre' os vinhos portugueses, pagando estes dois terços dos direitos impostos aos vinhos franceses.

* Bandeirantes chamaram-se aos aventureiros do interior do Brasil, que andavam pelo país em busca dos metais preciosos (século XVII), fundando estados e descobrindo minas.

Imposing arches of the Aqueduto das Águas Livres spanning the Alcântara valley

- O grande Convento de Mafra foi mandado erigir em 1717 por D. João V, 'o Magnânimo'. Neste período foram também construídos o imponente Aqueduto das Águas Livres em Lisboa e o Hospital das Caldas entre outras obras.

- 1755: Terramoto em Lisboa. A Baixa 'Pombalina' é reconstruída por ordem de Marquês de Pombal. Seu arquitecto foi Eugénio dos Santos.

- Sebastião José de Carvalho e Melo, Marquês de Pombal, o 'Déspota Esclarecido', é uma figura controversa na história de Portugal. Foi responsável por muito progresso mas, por outro lado, acreditava no absolutismo e divinava o rei. Foi cruel para quem lhe desobedecesse ou conspirasse contra o rei. No entanto, emancipou os índios e concedeu liberdade a todos os filhos de escravos nados depois de 1773.

- 1807: A Família Real parte para o Brasil, para salvar a coroa portuguesa, em face da ameaça das invasões francesas. Muitos fidalgos e gente culta retira-se para o Brasil.

- Seguem-se três invasões francesas. Ingleses vêm ajudar. Notável foi a acção de Sir Arthur Wellesley, conhecido por Wellington.

- 1815: O Brasil é elevado a Reino. Este grande país fora descoberto em 1500 por Pedro Álvares Cabral que lhe deu o nome de Vera Cruz, depois Santa Cruz, logo substituído pelo nome de Brasil, derivado de 'brasa' por causa, da cor da madeira do pau-brasil que abundava lá.

- 1820: Revolução e movimento liberal em Portugal.

- Almeida Garrett, um grande escritor, iniciador do Romantismo em Portugal (1825) e restaurador do teatro português, é pela causa Liberal assim como outros académicos.

- 1822: Independência do Brasil. D. Pedro, filho de João VI, que ficara no Brasil é proclamado Imperador daquele país.

- O 'grito de Ipiranga' foi o grito dos conjurados brasileiros e de D. Pedro quando este escreveu ao pai a pedir a independência – 'Independência ou Morte'.

- O pintor brasileiro Pedro Américo executou um quadro sobre este tema (o evento acima citado), em 1886.

- Alexandre Herculano (1810–1878) foi historiador, romancista e poeta português, um dos maiores vultos da literatura portuguesa do século XIX.

- 'Guerras Miguelistas' chamam-se às guerras civis entre os irmãos D. Pedro IV de Portugal e I do Brasil e D. Miguel, por razões de sucessão e de política, pois um era pela causa liberal enquanto D. Miguel era pelo absolutismo. Miguel, finalmente vencido, parte para o estrangeiro em exílio em 1834.

- 'Vila-francada e Abrilada' chamam-se às revoltas instigadas por D. Miguel que ocorreram respectivamente em Vila Franca de Xira (1823) e em Abril de 1824.

- 1846: Maria da Fonte foi o nome dado ao movimento revolucionário em honra duma mulher do Minho que se distinguira nos motins anteriores, incitando o povo a lutar.

- 1825–1890: Camilo Castelo Branco o maior e mais popular romancista de todos os tempos. Obra prolífica com mais de 200 volumes. O seu mais famoso livro *Amor de Perdição* já foi filmado várias vezes.

- 1878: Serpa Pinto, explorador português, atravessou a África, do oriente ao ocidente, chegando ao Transvaal e estudando as relações entre as bacias hidrográficas do Zaire e do Zambeze. Percorreu 4.500 milhas. Houve muitos outros exploradores portugueses nesse continente.

- 1845–1900: Eça de Queirós (José Maria), criador do Realismo nas letras portuguesas em Portugal, foi um fecundo e ilustre romancista. Todas as suas obras estão traduzidas em inglês e muitas delas em outras línguas.

- 1891: Foi declarada uma república federativa no Brasil.

- 1910: República implantada em Portugal.

- 1935: Morre o grande poeta, Fernando Pessoa, nado em 1888, iniciador da escola poética modernista. Foi o criador de mais de 70 heterónimos, dos quais os principais são: Ricardo Reis, Álvaro de Campos, Alberto Caeiro além de Fernando Pessoa, autor de *Mensagem*. A sua poesia diversificada está traduzida em várias línguas. Escreveu poemas em inglês também.

- Outra grande figura neste período foi Almada Negreiros (1893–1970), também iniciador do movimento modernista, como pintor, escultor e escritor.

- 1894–1930: Florbela Espanca, notável poetisa do Alentejo, deu--nos os seus belos sonetos em *Livro de Mágoas*, *Livro de Soror Saudade*, e *Charneca em Flor*.

  (A literatura portuguesa é uma das mais ricas da Europa e, consequentemente, é impossível mencionar mais escritores, tanto dos séculos anteriores como no nosso. Limitamo-nos a dar alguns nomes do presente século mais abaixo.)

- 1949: Egas Moniz, médico, psiquiatra, político, professor, diplomata e iniciador da operação cirúrgica denominada lobotomia, recebe o Prémio Nobel.

- 1889–1970: António de Oliveira Salazar. Estadista, professor catedrático, Ministro das Finanças em 1928; várias outras pastas antes de ser Ministro do Conselho (Primeiro Ministro) entre 1932 e 1968. Ditador e figura controversa.

- A Revolução de 25 de Abril de 1974, é também conhecida por 'Revolução dos Cravos'.

- Entre as escritoras portuguesas da última metade deste século, destacam-se; Agustina Bessa Luís (n. 1922); Irene Lisboa (1892–1958); Fernanda Botelho (n. 1926); Maria Judite de Carvalho (n. 1921); Isabel da Nóbrega (n. 1925); Sophia de Mello B. Andresen (n. 1919); Maria da Graça Freire (n. 1918); Olga Gonçalves (n. 1929) cujas obras começaram a ser publicadas na década dos 70, tendo ganho o Prémio 'Ricardo Malheiros' em 1975; Lídia Jorge (n. 1946) a escritora brilhante da nossa década.

- Durante o governo de Prof. Cavaco Silva, Primeiro-Ministro, e de Mário Soares, Presidente (1985–1995), Portugal aderiu à C.E.E. (Janeiro de 1986).

- 1984: Carlos Lopes ganha a medalha de ouro da maratona nos Jogos Olímpicos em Los Angeles.

- 1988: Outra campeã de maratona, Rosa Mota, medalhista de ouro nos Jogos Olímpicos em Seoul.

- Em 1992, um outro grande escritor contemporâneo, António Lobo Antunes, esteve muito perto de ganhar o Prémio Nobel. No ano seguinte, o mais conhecido escritor dos nossos dias, José Saramago, recebeu o prémio 'Independent Foreign Fiction'.

- 1994: Lisboa foi a Capital Cultural da Europa.

- Desde 1995, António Guterres e Jorge Sampaio do partido socialista estão no poder.

- 1998: Exposição Mundial em Lisboa, subordinada ao tema de 'Os Oceanos: Um Património para o Futuro', comemorando assim 500 anos da rota marítima para a Índia por Vasco da Gama.

- A maior ponte da Europa, a Ponte Vasco da Gama que vai de Montijo a Sacavém, foi inaugurada em Março 1998.

Expo '98 mascot

- Neste ano, também se celebram 500 anos da acção caritativa em Portugal da Santa Casa da Misericórdia. *[See the article in Unit 8.]*

- 1998: José Saramago recebe o merecido Prémio Nobel de Literatura. Entre as suas obras destacam-se *O Ano da Morte de Ricardo Reis* (1984), *Jangada de Pedra* (1986), *História do Cerco de Lisboa* (1989), *Evangelho Segundo Jesus Cristo* (1991), os seus mais recentes livros, *Ensaio sobre a Cegueira* e *O Livro das Tentações*.

KEY TO EXERCISES

Since the first exercise in each unit (*Compreensão do texto*) is open to how you've understood the initial reading text, no answers can be shown for these.

UNIT 1

Exercise 2:
1 saem. 2 creio. vão. 3 leu. 4 caiu. 5 tem saído. 6 leio.
7 caem. 8 lêem. 9 saí. 10 críamos.

Exercise 3:
1 põe. 2 venho. 3 vai. 4 dá. 5 dou. 6 sei. 7 trago. 8 faço.
9 digo. 10 posso. 11 diz. 12 põe. 13 podem. 14 pôem.
15 vêm. 16 vêem.

Exercise 4:
1 em frente. 2 defronte / em frente. 3 perante. 4 antes. 5 à frente.
6 diante / em frente. 7 à frente. 8 perante. 9 defronte. 10 à frente.

UNIT 2

Exercise 2:
1 passeio. 2 passeamos. 3 receio. 4 receiam. 5 barbeia-se.
6 penteio. 7 penteia-se. 8 estreio. 9 estreia-se. 10 ceio.
11 bombardeia-me. 12 regateio. 13 baseiam-se. 14 anseio.
15 remedeia. 16 odeio. 17 odiamo-nos.

Exercise 3:
1 G.   6 B.
2 E.   7 D.
3 J.   8 H.
4 A.   9 F.
5 I.   10 C.

Exercise 4:
1 A reunião é sobre a ecologia.
2 Ele saltou para cima do cavalo.
3 O dinheiro está em cima daquele armário.
4 Os gansos voaram por cima de Lisboa.
5 A casa de banho (*Br.* o banheiro) está / encontra-se lá em cima.
6 Ele está acima de tais ideias mesquinhas.
7 Abaixo com o tirano!
8 Ele tinha um cachorro debaixo do (seu) grande casaco (*Br.* grande paletó grande).
9 Daqui vê-se o rio lá em baixo.
10 Ele olhou para baixo.
11 Ele está sob juramento.
12 O comboio (*Br.* trem) foi por baixo da ponte.
13 A terra é mais verde aquém – Minho. (*or:* A terra é bem mais verdejante aquém – Minho.)
14 Todos os meus planos foram-se por água abaixo.
15 Os resultados foram além das minhas expectativas.

Exercise 5:
1 passeei. 2 estreou. 3 receei. 4 remedeio. 5 regateámos.
6 bombardearam. 7 ora. 8 sob. 9 de lés a lés. 10 lá em cima.
11 sobre. 12 acima. 13 abaixo. 14 gaivotas. 15 males.
16 liga. 17 quiser.

UNIT 3

Exercise 2:
1 current. 2 steak, nickname for an Englishman. 3 exquisite.
4 wild, furious. 5 letter. 6 cicada. 7 grief. 8 clever, foxy.
9 odd, finicky. 10 frying-pan. 11 newspaper boy, worker
(by the day). 12 helpful. 13 wine barrel. 14 harm, damage.
15 retired, reformed.

Exercise 3:
1 sinto-me. 2 preferem. 3 segue. 4 interfiro. 5 durmo.
6 tosse. 7 sobem. 8 acudam. 9 foge. 10 consome. 11 sacuda.
12 incluímos. 13 atribuo. 14 constroem. 15 possuímos.
16 destrói. 17 influis.

Exercise 4:

1	F.	6	B.
2	J.	7	D.
3	A.	8	H.
4	I.	9	E.
5	C.	10	G.

NB: Number 1 could equally have the answer H, and number 8 the answer F.

Unit 4

Exercise 2:
1 meço. 2 despeço-me. 3 percas. 4 vale. 5 impeço-lhe. 6 peço. 7 ouço. 8 requeira. 9 impede. 10 valha. 11 ouve. 12 meça. 13 desimpedem. 14 perco. 15 perdemos.

Exercise 3:
1 alguém. 2 toda. 3 cada. 4 todos. 5 alguma. 6 nenhum (*also* qualquer). 7 certa. 8 ambos. 9 qualquer. 10 várias. 11 mesma (*also* própria). 12 algo. 13 todo. 14 nenhum. 15 ninguém. 16 pouco (muito). 17 nada (muito, ninguém).

Exercise 4:
1 vim. 2 soube. 3 fez. 4 disse. 5 fomos. 6 deteve. 7 compôs. 8 pus. 9 dei. 10 trouxe. 11 fui. 12 coube. 13 pude. 14 houve. 15 esteve, fez.

Exercise 5:
1 bode. 2 raposa. 3 burro. 4 texugo. 5 lesma. 6 leão. 7 cobras. 8 formigas. 9 papagaio. 10 rato. 11 rouxinol. 12 pavão. 13 pisco. 14 peixe na água. 15 lontra.

Unit 5

Exercise 2:
1 chávena. 2 cálice. 3 maço. 4 taça. 5 ramo. 6 posta. 7 fatias. 8 xícaras. 9 rodelas. 10 molho. 11 copo. 12 trouxa. 13 feixe. 14 cacho. 15 embrulho.

Exercise 3:
1 chegara. 2 recebera. 3 foi, trouxera. 4 foram. 5 houve.
6 foram, emigraram. 7 tinham travado. 8 atracavam. 9 tenho lido.
10 dera. 11 descobriram. 12 temos tido. 13 era, brincava.
14 chegou, punha. 15 fez. 16 temos feito.

Exercise 4:

1	C.	6	H.
2	I.	7	J.
3	F.	8	E.
4	G.	9	D.
5	B.	10	A.

UNIT 6

Exercise 2:

1	c).	6	c).	11	c).
2	b).	7	a).	12	b).
3	b).	8	a).	13	b).
4	a).	9	b).	14	b).
5	c).	10	a).	15	a).

Exercise 3:
1 esteja. 2 trabalhe. 3 diga/digas. 3 saias. 5 chova. 6 seja.
7 venham. 8 minta. 9 possa. 10 haja. 11 saiba. 12 dês.
13 vás. 14 peça. 15 chova, faça. 16 tenha. 17 traga.

Exercise 4:
1 diga. 2 seja. 3 sejam. 4 se esforcem. 5 façam. 6 saiba.
7 queira. 8 pareçam. 9 dê. 10 estejamos.

Exercise 5:
1 esteja; 2 tenho; 3 peço; 4 tenho tido; 5 encontre; 6 haja;
7 corra; 8 vá; 9 lembre; 10 passei; 11 ofereceram; 12 saboreei;
13 como; 14 diga; 15 data; 16 fui; 17 haja; 18 tente; 19 tem;
20 esteja; 21 chova; 22 chova; 23 quer; 24 visitemos;
25 deixe; 26 vá; 27 estou; 28 paga; 29 teve; 30 ganhou;
31 veio; 32 sei; 33 disse; 34 aumentou; 35 venha; 36 deixem;
37 estão; 38 multados; 39 ficando.

Unit 7

Exercise 2:
1. vinho. 2 saber. 3 casto. 4 safrão. 5 regatear. 6 meta.
7 lagar. 8 terreno. 9 directo. 10 beiral.

Exercise 3:
1 pagasse. 2 conseguisse. 3 quisesse, fizesse. 4 fosse. 5 fosse.
6 viesse. 7 dissesse, estivesse. 8 soubéssemos. 9 mentisse.
10 viesse. 11 mandasse. 12 gostasse. 13 servissem. 14 fossem.
15 desse, tivesse.

Exercise 4:
1 tenha partido. 2 tivessem dito. 3 tenham melhorado. 4 tenha
posto. 5 tenham informado. 6 tivessem perseguido. 7 tivessem
ido. 8 tivesse dado. 9 tenha feito. 10 tenham aberto.

Exercise 5:
1 Eles gostariam muito que o mundo ficasse livre de problemas
  ambientais.
2 Ele faria tudo por ela.
3 Queira fazer-me (*or*: fazia-me) o favor de traduzir este aviso?
4 Se eu tivesse a coragem (*or*: Se eu fosse corajoso/a), dizia-lhe para
  ir à fava (*or*: mandava-o à fava).
5 Se tivéssemos a tua/a sua paciência, iríamos jogar golfo.
6 Eu dar-te-ia (*or*: Eu dar-lhe-ia) a minha morada (*or*: o meu
  endereço), mas não me lembro exactamente.
7 A minha irmã queria uma bica (*or*: um café simples) e um pastel
  de nata.
8 Eu dar-lho-ia, se eu o tivesse.
9 Seriam as três [horas] quando eles entraram (*or*: vieram).
10 Dizia-me, por favor, onde fica o mercado? (*or*: onde está o
   mercado? *or*: onde é o mercado?)

Unit 8

Exercise 2:
1 falarei. 2 será. 3 dir-te-emos. 4 vão comprar. 5 farão.
6 visitá-la-emos. 7 farei. 8 hei-de ir. 9 fá-lo-ão. 10 dar-lhe-emos.

Exercise 3:

1 (b) habitat.
2 (c) a chita.
3 (b) Pedro Álvares Cabral.
4 (b) apicultor.
5 (a) 1910.
6 (b) quanza / kuanza.
7 (c) pintora de flores e gravadora portuguesa, nata em Sevilha, século XVII.
8 (b) Egas Moniz.
9 (b) atleta. Medalhista de ouro (maratona) nos jogos olímpicos de 1984.
10 (c) Eusébio da equipa Benfica.
11 (c) século XVI, morreu em 1570; suas obras foram traduzidas em latim, francês e italiano, e estudadas em várias universidades.
12 (c) de Portugal; chamado 'manuelino' (iniciado em 1508) em honra do rei D. Manuel.
13 (b) a revolução pacífica de 25 de Abril 1974.
14 (a) em Lisboa.
15 (b) nove: São Miguel, Santa Maria, Terceira, Graciosa, São Jorge, Faial, Pico, Flores, Corvo.
16 (c) sete: o território português (Portugal, Açores e Madeira), Brasil, Angola, Moçambique, Guiné-Bissau, Cabo Verde, São Tomé e Príncipe.
17 (c) 1822, ficando o filho do rei português, D. Pedro I do Brasil, como Imperador.

Exercise 4:

1 Irei ao Japão quando tiver dinheiro.
2 Se você for à Madeira, traga-me um ramo de flores exóticas.
   (*or:* Se tu fores à Madeira, traz-me um ramo de flores exóticas.)
3 Assim que acharmos uma casa, nós casar-nos-emos.
4 Compra aquilo que quiseres. (*or:* Compre aquilo que quiser.)
5 Enquanto o guarda-costas estiver com ela, tudo correrá bem.
6 Eu compro comida onde for barato.
7 Quando ele tiver acabado o projecto dele, iremos em férias.
8 Amá-lo-ei para sempre.
9 Eles não nos dirão (*or:* Eles não vão dizer-nos) quem ganhou a corrida automobilista.
10 Será que ela está a mentir?

Exercise 5:
1 for. 2 acontecer, estiveres. 3 disserem. 4 for. 5 quiser / fizer.
6 chegarem. 7 estivermos. 8 tiverem. 9 vier. 10 trouxer.

Unit 9

Exercise 2:
1 acento. 2 açular. 3 concerto. 4 sela. 5 conselho. 6 ilegível.
7 hera. 8 serração. 9 há. 10 peão. 11 senso. 12 sem.
13 cheque. 14 cassa. 15 buxo.

Exercise 3:
1 O mundo poderá vir a ser (*or:* poderá ser) um lugar melhor.
2 Ia dizer-lhe.
3 A polícia ia de porta em porta, fazendo perguntas.
4 Vinha anoitecendo, quando chegámos lá.
5 O bébé riu-se, batendo palminhas.
6 O contabilista continuou com o seu trabalho, verificando as contas, revisando, sem falar com ninguém.
7 Sendo assim, aceito o seu convite.
8 Pegando na faca, ela começou a cortar a carne.
9 Ela olhou para ele, sentindo arrepios de frio.
10 Estamos agora a ensaiar (*or:* ensaiando).

Exercise 4:
1 falarem. 2 partirem. 3 estarmos. 4 ganharem. 5 dizeres.
6 virem. 7 comeres. 8 verem. 9 entrarmos. 10 cuspir.
11 veres. 12 desistir. 13 podermos. 14 irmos. 15 lembrarem.

Unit 10

Exercise 2:
1 uniforme. 2 mendigo. 3 folguedo. 4 difícil (*or* caro).
5 patuscada. 6 xícara. 7 perpretar. 8 gado. 9 veneno. 10 grande.

Exercise 3:
1 logo. 2 sempre (*or* já). 3 depois (sempre). 4 logo. 5 logo.
6 já. 7 já. 8 já agora. 9 daí. 10 já. 11 apenas. 12 mal. 13 já.
14 nem sequer. 15 senão.

Exercise 4:
1 comeres. 2 fores. 3 fosse. 4 quero. 5. diz. 6 levantou-se.
7 tivessem dito. 8 tivéssemos feito. 9 beijam-se. 10 tivesse vindo.

Exercise 5:
1 desespera. 2 antipática. 3 destruída. 4 alta. 5 detesto.
6 péssimo. 7 morreu. 8 achei (encontrei). 9 ganhou. 10 abertos.
11 diligente (trabalhador). 12 honesta. 13 aceitamos. 14 mal.
15 reprovada.

Exercise 6:
1 O documento já foi aprovado?
2 Se o dinheiro lhe for dado, não aceite.
3 Todas as minhas contas já foram pagas por mim.
4 A ficha devia ter-lhe sido dada por mim.
5 O sinistro foi noticiado nos jornais.
6 Tudo foi posto em pratos limpos pelo Presidente da Associação.
7 As directrizes não foram bem explicadas por eles.
8 Ela disse que não havia nenhuma desculpa para tal procedimento.
9 O Brasil foi descoberto por Pedro Álvares Cabral em 1500.
10 O Prémio Nobel de Medicina foi recebido por Egas Moniz em 1949.
11 Ela respondeu que a revolução de 1974 tinha-se dado no dia 25 Abril.
12 E ela continuou a dizer que esta revolução tinha também o nome de Revolução dos Cravos.

Mini-Dictionary

This brings together nearly all the Portuguese words found in the book's vocabulary lists. Remember that a word's English translation should be seen in the context of the reading passage or dialogue in which that word appears; thus, it may not be the more precise definition found in a conventional dictionary. Also, some additional detail given in a 'Vocabulário' may have been omitted from the mini-dictionary, for conciseness; e.g. in the first chapter you will find **chafariz** described as a 'public fountain, *usually against a wall*'.

a céu aberto in the open
à frente de in front (ahead, at the head of)
a minha linha my figure (body)
a olhos vistos visibly, before one's very eyes
a torto ou a direito by hook or by crook
a.C. (antes de Cristo) B.C.
abade abbot, monk
abaixo (de) down, below, downward
abastecer-se to get provisions / supplies
abastecido provided with, supplied with
abatimentos fiscais tax rebates
abonos à família family allowances
abrir falência to go bust; to go bankrupt
achaques ailments
achar piada to find it funny, nice, interesting
acima above, up, over
acima de more than, beyond
aconchegada nestling by, snuggled, cuddled up
ademais moreover, furthermore
adiar to postpone
adivinhar to guess

afundados sunk
aguardente 'burning water' (brandy)
aí there; in this case
alcunha nickname
alfacinha (*lit.*: 'lettuce eater') Lisboner, of / from Lisbon
algo something
alguém somebody, anybody
algum (*f.&pl.*) some, any
alguma vez ever, some time
aliar to combine
aliás anyway, actually, as a matter of fact
aliciante attractive, enticing
ambiente environment
ambos, ambas both
ameaças threats
ameixoeiras plum trees
amena mild; pleasant
amor ao próximo love for your 'neighbour'
ando à procura I am / I have been looking for
ansiar to yearn for, look forward to
antes de before (coming first)
ao abrigo do ... under the ... (**abrigo**: shelter)
ao alcance within reach of, available to

apanhar   to catch
apelido   surname
apitos   whistles
aquando   on the occasion of
arborizadas   with trees
armazém   department store
   (*also:* warehouse)
arquipélago   archipelago
arrancar   to pull out
arrasar   to flatten, to raze
arrecadar   to collect (*taxes, profits*)
arrepios de frio   cold shivers
artigos de verga   wickerware
assaltar   to assail
assaz   enough, sufficiently, quite
assim reza a lenda   so says /
   runs the legend
assustar   to frighten
até a ponta (raíz) dos cabelos
   up to my neck
atestar   to bear witness to, to prove
atracados   moored
aturar-me   to put up with me
autocarro   bus
aveludado   velvety
averiguar   to check

bailaricos   popular (street) dances
bairro   old quarter
baleeiros   whalers
barbear(-se)   to shave (oneself)
basear(-se) em   to base on / upon
bastaria   would be enough
batata-doce   sweet potato
bate-papo   (*colloq. Br.*) chat
bater palmas / palminhas
   to clap hands
berço   cradle
boatos   gossip; rumours;
   they say that …
boletim metereológico
   weather report

bombardear   to shell,
   to bombard (*lit & fig.*)
bonde   (*Br.*) tram
bordado   embroidery
brumas   fog, mist
burgo   city

cá te espero   I'll be expecting you
caber (lhe)   falls to (it), belongs to (it)
cachorro   puppy (*Br.* any dog)
cada   each
cada qual, cada um   each one
cair no conto do vigário   to be cheated,
   conned
calçada   (steep) cobbled street
caldeiras   calderas (*of extinct volcanoes*)
calha como ginjas   it's a godsend
cálice   small wine glass (for Port,
   liqueur)
calvo   bald (*pol.*)
candidatar-se a   to apply for (*a job, etc*)
cara-metade   my 'better half'
careca   bald (*col.*)
carro eléctrico   tram
casamenteiro   matchmaker
casta   kind, caste, breed, vintage
cear   to have supper
celebrar acordos   to sign / conclude
   agreements
centúria   century
cepa   young vine
cerco   siege
certo   certain
chafariz   public fountain
chazinho   *dim. of* **chá**
chega!   stop that! / Enough!
chegara aos céus   reached the heavens
chorou na barriga da mãe   born with
   a silver spoon in his mouth
chover a cântaros   to rain cats
   and dogs
cogumelos   mushrooms

coitado do homem poor chap / fellow

colina hill

com os pés na cova *idiom*. with one foot in the grave

comes e bebes eating and drinking

compromisso obligation, pledge, statute

comunicado, aviso notice

concorrência competition

(um) concorrente a menos (one) competitor less

conhecimento disso knowledge of it

consciente aware

conte lá you tell me, tell me about it

convir to suit, to be convenient

conviver to live together

corajoso, valente brave

correspondência connection

corri de lés a lés I went from one end to the other, I went all over the place

cravo carnation

crescido grown up

crescimento growth, growing

crioulo creole

cuidar de to take care of; to deal with

cultura vinícola the cultivation of the vine

dá-se-lhe one gives to it

dar largas a to give free rein to; to let go

dar um salto to drop in (=to visit)

de lés a lés from one end / side to the other

de uma vez para sempre once and for all

de vento em popa from strength to strength (*lit*. with wind on the stern)

debaixo de under, underneath

defronte in front of (*as in* opposite)

demarcou set the limits, demarcated

derrubadas felled; overthrown

desatassem a procriar to break out / burst out in procreation

desbravar a terra to clear the wilderness for cultivation

descarada cheeky

descobrir-se to reveal itself, lay bare

desde logo at once, straight away

desde que as long as

desfiles parades

deslumbrante dazzling, amazing

desnortear(-se) to lose one's bearings / control; to be confused

despedido sacked

déspota iluminado enlightened despot

destacar-se to stand out, to be singled out

Deus me livre! God forbid!

diante before (facing someone, in front of)

difundiu spread, diffused

digna worthy

diploma diploma; State paper, document

direitos dues

disposta a willing to

ditado popular saying

dotado de blessed with

dramaturgo playwright

duriense from, or pertaining to the Douro region

e depois and anyway, moreover

egoísmo selfishness

elegante a slender figure (*also:* elegant)

em baixo below

em cima de on, on top of

em frente de in front of

emagrecer to lose weight

enaltecer to exalt, to praise

encosta hillside, slope

enferrujados rusty

engenho humano human ingenuity
  or invention, genius
enriquecida enriched
ensaiar to rehearse
ensurdecedor deafening
entrudo Carnival
envelhecimento old age
épico epic
era de esperar one would expect
esbarrar to bump into,
  collide with (someone)
escadinhas *dim.* flight of stairs,
  stairway
escapar por um triz to escape by the
  skin of one's teeth
espalhar-se to spread
espampanante showy, loud
espantoso/a amazing
esperemos let us hope
espetada skewered; *(meat)* a kind
  of kebab
espeto de louro laurel spit
espirituoso witty
esquisito fussy, finicky
estagiário trainee *(doing your 3rd
  university year abroad)*
estar metida no hotel to be shut in /
  hidden in a hotel.
estonteante intoxicating, dazzling
estou ansiosa por te ver I look
  forward to seeing you
estrear to wear / have for the first time
estribeiras stirrups
estudiosos scholars
eu cá I; as for me
evitar to avoid
evoluir-se to evolve (itself)

falar pelos cotovelos to speak
  nineteen to the dozen
faluca ancient boat, felucca
farta de fed-up with

fazer frente a to face, to take on
feitos feats, deeds
festa pegada all-around fun
fica-lhe mais barato it will be cheaper
  for you
fogueira bonfire
foguetes firecrackers, fireworks
folgança frolic
folguedo revelry, fun
folia merrymaking
fonte source
força de vontade strong will,
  iron will
formação training
forte stout, strong
foz do rio river-mouth
(um) frio de rachar bitterly cold
frescura coolness
fulano chap, fellow, Joe Bloggs,
  John Doe
furnas caves

gaivotas em terra (*lit.* 'seagulls on
  land') *idiom. a* stranger in this part
  of the world
ganância greed for gain
gansos geese
garotas girls, 'chicks'
ginástica physical exercise
ginjas morello cherries
gordura é formosura fat (fatness)
  is beautiful
gorduras fatty products
gosto taste
gozar to enjoy

há males que vêm por bem
  idiom. a blessing in disguise
habilitações skills, qualifications
hastear to hoist

idade age

ilhéus islets
impedir de stop from
imposto (*p.p. of impôr*) imposed
  (*also:* tax)
incendiar to set fire to
inexistente non-existent,
  it does not exist
íngreme steep
inolvidável unforgettable
insurgir-se to be against, to rebel
invejável enviable
invicta unconquerable, unbeaten
ir à fava to go to hell

já estou farta I am fed-up
já não no longer
já que since, while
jejum fasting
jogar na bolsa to speculate in the
  market, to job in stocks
jogo gambling
jugo yoke

lá / cá em cima up there / here,
  upstairs
lá / cá em baixo down there / here,
  downstairs
lacticínios dairy produce
lagar wine press
laureado laureate
leilão auction
lema motto
lendária legendary
letreiro sign, indicator
léxico lexicon
libertado released
licenciatura degree = BA or BSc
lisboeta of / from Lisbon
louvar to praise
lucro profit
lusófilo lusophile; lover of Portugal
luxuriante lush

magreza thinness
magricela skinny
mais more
mais logo later
mangerico wild basil
manjares food / meals
margem river-bank
mata-bicho (*lit.* 'kill the bug')
  a breakfast tot of *aguardente*
meados mid, middle
meninos deitados à rua children left
  in / thrown into the streets
menos less
mesmo same
mesquinho/a petty
mexericos intrigues, malicious gossip
milho maize
miradouro / miradoiro belvedere
miséria poverty
missa do Galo midnight mass
mito myth
morgadinhos *traditional cakes*
muito much, many
mulherio women in general,
  many women
multar to fine

nada nothing
nada mais nothing else
não dá p'ra nada he is no good,
  he is good for nothing
não é bem assim not quite;
  it's not quite so
não estou pr'a I don't want,
  I am not going to
não me apetece I don't feel like
não tenho vontade I don't feel like
nascentes springs
natalidade birth rate
negócio da China *idiom.* lucrative
  business
nenhum none, any

ninguém nobody, anybody
ninguém liga a uma coisa dessas nobody pays any attention / heed to such things
nome próprio Christian name
nomeadamente namely
nomear to nominate
nordeste northeast
noutros tempos in the old days (other times)

o Tejo the river Tagus
Obrigadinha (*dim of obrigada*) Cheers! / Many thanks!
odiar to hate
ofuscada overshadowed
olhar por to look after
ônibus (*Br.*) bus
opulenta rich, wealthy
Ora viva! Hello there! / Hi!
orfãs ou em risco orphaned or in danger
outro other
outrora once, in the old days

pacata quiet
padecer to suffer
padrão monument
paladar taste; palate
palco stage
pampa pampa(s)
p'ra (para) aí (going) around
para baixo down(ward)
para cima up, to the top of
para cima de more than
para todos os gostos to everybody's taste
parapeito da janela window-sill
partido trabalhista labour party
passear to go for a walk / drive
pastéis / pastel de nata Portuguese custard tarts

pataca Macau's currency
patronato employers
pecuária cattle, livestock
pedregosos rocky, stony
pegar to catch
pegar em to pick up
pegar o trem (*Br.*) to catch the train
peixe-espada scabbard fish
pentear(-se) to comb (oneself)
pequena pausa a respite, a pause
perante before (in front of *as in* facing the law etc.)
perder as estribeiras (*coll.*) to lose one's head
perdura it lives on
perigosidade danger
permaneceu it remained, stayed on
pico peak (*of a mountain*)
pluviosidade rain, pluvial conditions
pois for, as, seeing that
por alturas do around, about the time of
por baixo de under, underneath
por cá here, over here
por cima (de) over, up
por esse mundo fora in / throughout this wide world
portuenses native of Oporto
portugueses da gema Portuguese through-and-through, genuine
pouco little, a few
povos peoples, races
prateleira shelf
prestável helpful (of service)
prever(-se) to foresee, to forecast; to expect
previsão do tempo weather forecast
privar-se to go without, deprive oneself
problemas ambientais environmental problems
próprio proper; self

qualquer, quaisquer any
quanto mais velho, melhor The older the better
Quaresma Lent
que azar what bad luck
Que chatice! (slang) What a nuisance!
Que seca! What a bore! What a drag!
quebra-gelos icebreakers
quem quiser vai como quer it's up to the individual to go as he pleases
quintas farms, estates

rabelos boats carrying Port wine down-river
recanto nook, recess
recear to fear
receita revenue, income; prescription
rechear to stuff (culinary)
rede network, grid
regatear to haggle
regime dietético on a diet
relâmpagos lightning
relevo relief, outline (of hills, land)
remediar(-se) to remedy, to help, to make do with
remonta goes back to, dates from
renda lace
repartição government department or office
requintado refined, perfect
rochosos rocky

sábio scholar, wise man, sage
sabor taste, flavour
saborear to savour
sé cathedral
se calhar probably, it's very possible that
seculares centuries old
segurança safety
semana sim, semana não every other week

semear to sow
sempre que whenever
símile simile, comparison
sirenas sirens
só que the only thing is, the problem is
sob under
sobre on, about, on top of
socalco terrace (on a slope)
socorrer to come to one's aid
sorte grande national lottery
suar to sweat
súbita sudden
sulfurosas sulphurous
suscitar to provoke
sustentar sustain

tal como just as
tampas das panelas saucepan lids
taxa de juros interest rates
tecido de renda lace material
teimoso stubborn, obstinate
temporadas times, seasons
tenderá will tend to
teor content
termas hot springs
terra natal birthplace
terramoto earthquake
terras longínquas distant lands
terrenos de lava land covered with lava
tinham abatido had slaughtered
tipificadas typified
tipo (slang) bloke
tirano tyrant
todo (f.&pl.) all, every
tomar conta de take care of
torres de escritório office blocks
trajes costumes, attire
travar relações com to establish relations with
tribunal court of Justice

trigo   wheat
tripeiros   tripe eaters
trouxera   had brought
trovoada   storm
tudo   everything
tudo às mil maravilhas   everything is
   wonderful
tuta-e-meia   *idiom.* for a song

ultramar   overseas

vários, várias   several, various
vendaval   strong wind; gale
verdejante   fresh and green, verdant
verificar as contas   to check accounts

vertente   slope
vestígios   traces, vestiges
viciado   addicted
videira   vine
viela   narrow alley
vincar   to stress; to press / crease
   trousers
vinda   coming *(noun)*, home-coming

xícara / chávena   cup
xistosa   schistose *(of schist)*

zangar-se com   to be cross with,
   to have a quarrel with
zé-povinho   the people, the plebs

INDEX

This index shows topics discussed in the Gramática & Prática sections, the principal reading passages and other features. It also lists key verbs and those mentioned in units 2, 3 and 4 as being 'radical-changing'. For a round-up of words found in the vocabularies, see the Mini-Dictionary.